고도를 기다리며

En attendant Godot

En attendant Godot

by Samuel Beckett

세계문학전집 43

고도를 기다리며

En attendant Godot

사뮈엘 베케트

오증자 옮김

민음사

차례

제1막 7

제2막 95

작품 해설 165

작가 연보 178

제1막

시골길, 나무 한 그루가 서 있다.

저녁.

에스트라공이 돌 위에 앉아서 구두를 벗으려고 한다. 기를 쓰며 두 손으로 한쪽 구두를 잡아당긴다. 끙끙거린다. 힘이 빠져 그만둔다. 숨을 헐떡이며 잠시 쉬었다가 다시 시작한다. 같은 동작이 되풀이된다.

블라디미르 등장.

에스트라공 (다시 단념하며) 안 되겠는데!

블라디미르 (두 다리를 벌리고 종종걸음으로 다가서며) 그럴지도 모르지. (걸음을 멈추고) 그런 생각을 떨쳐버리려고 오랫동안 속으로 타일러 왔지. '블라디미르, 정신 차려, 아직 다 해본 건 아니잖아' 하면서 말이야. 그래서 싸움을 다시 계속해 왔단 말이야.

머릿속으로 싸움을 그려보며 생각에 잠긴다. 에스트라공에게.

블라디미르 아니, 또 너로구나!

에스트라공 그래서?

블라디미르 다시 만나니 반갑다. 아주 떠나버린 줄 알았는데.

에스트라공 나도 그래.

블라디미르 우리가 다시 만난 걸 어떻게 축하한다? (잠시 생각하더니) 일어나, 껴안아 줄게.

에스트라공에게 손을 내민다.

에스트라공 (짜증스럽게) 조금 있다가. 조금 있다가.

침묵.

블라디미르 (기분이 상해서 냉정하게) 나으리께서는 어디서 밤을 지내셨나이까?

에스트라공 개천에서.

블라디미르 (기가 막혀서) 개천이라니! 어느 개천?

에스트라공 (아무 동작 없이) 저기 저쪽.

블라디미르 얻어맞지나 않았고?

에스트라공 얻어맞았지…… 많이는 안 맞았지만.

블라디미르 같은 녀석들한테?

에스트라공 같은 녀석들이냐고? 모르겠다.

침묵.

블라디미르 하긴…… 오래전부터 늘 생각해 온 건데…… 넌 내가 없었으면 어떻게 됐을까 하고 말이지…… (단호하게) 지금쯤은 죽어서 한 움큼의 뼈다귀만 남았을걸, 틀림없이.

에스트라공 (정곡을 찔린 듯) 그래서 어떻다는 거야?

블라디미르 (풀이 죽어서) 혼자 감당하기엔 너무 어렵구나. (잠시 사이를 두었다 곧 활기를 띠고) 또 한편으로 생각해 보면, 이제 와서 실망해 봤자 별수 없다는 생각이 든다. 벌써 오래전부터, 그러니까 1900년쯤부터 그 생각을 해왔어야 하는 건데 말이야.

에스트라공 듣기 싫다! 이놈의 신이나 좀 벗겨줘.

블라디미르 손을 마주잡고 에펠탑 꼭대기에서 뛰어내렸겠지. 맨 처음에 뛰어내리는 자들 틈에 끼어서 말이야. 그땐 제법 풍채도 좋았는데. 하지만 이젠 너무 늦었어. 이제 우리 같은 건 올라가지도 못하게 할걸.

(에스트라공은 구두를 벗으려고 기를 쓴다.) 뭘 하고 있는 거야?

에스트라공 구두를 벗고 있는 거다. 너한텐 이런 일이 한 번도 없었냐?

블라디미르 그러게 그전부터 내 뭐라고 했니? 구두는 매일 벗어야 한다고 그랬잖아? 내 말을 들었어야 했단 말이다.

에스트라공 (약한 소리로) 좀 거들어 줘!

블라디미르 아프냐?

에스트라공 아프냐고? 그걸 말이라고 하냐?

블라디미르 (화를 내며) 이 세상에 고통을 당하는 게 너 하나밖에 없는 줄 알아? 나 같은 건 안중에도 없는 거지. 네가 내 입장이라면 무슨 소릴 할는지 보고 싶구나. 당해 봐야 알 거다.

에스트라공 너도 아팠냐?

블라디미르 아팠냐고? 그걸 말이라고 하는 거야?

에스트라공 (집게손가락으로 가리키며) 그렇다고 단추까지 안 끼우고 다닐 거야 없지 않아?

블라디미르 (아래를 내려다보며) 참 그렇군. (단추를 채운다.) 작은 일이라고 소홀히 해서는 안 되지.

에스트라공 뭐랄까…… 넌 늘 마지막 순간을 기다리고 있는 거지.

블라디미르 (꿈꾸듯이) 마지막 순간이라…… (생각에 잠긴다.) 그건 멀지만, 좋은 걸 거다. 누가 그런 말을 했더라?

에스트라공 나 좀 안 거들어 줄래?

블라디미르 그래도 그건 오고야 말 거라고 가끔 생각해 보지. 그런 생각이 들면 기분이 묘해지거든. (모자를 벗는다. 모자 속을 들여다보고 손으로 만져보고 흔들어 보고 다시 쓴다.) 뭐라고 할까? 기분이 가라앉으면서 동시에…… (적당한 말을 찾는다.) ……섬뜩해오거든. (힘을 주어) 섬—뜩—해—진단 말이다. (다시 모자를 벗고 속을 들여다본다.) 이럴 수가! (무엇을 떨어뜨리려는 듯 모자 꼭대기를 툭툭 친 다음 다시 안을 들여다보고 다시 쓴다.) 결국은…….

에스트라공은 힘을 다해서 마침내 구두를 잡아 뺀다. 구두 속을 들여다보고 손으로 더듬어보고, 뒤집어 보고, 흔들어 보고, 혹시 땅바닥에 떨어진 게 없나 살펴본다. 아무것도 보이지 않자, 멍청한 눈으로 구두 속에 손을 넣어본다.

블라디미르 어떻게 됐어?

에스트라공 아무것도 없다.

블라디미르 어디 봐.

에스트라공 볼 게 아무것도 없다니까.

블라디미르 그럼 다시 신어봐.

에스트라공 (발을 살펴보고 나서) 발에 바람을 좀 쐬야겠다.

블라디미르 제 발이 잘못됐는데도 구두 탓만 하니. 그게 바로 인간이라고.

다시 모자를 벗어 속을 들여다보고, 손으로 더듬어보고 흔들어보고, 모자 꼭대기를 두드렸다가 안으로 입김을 불어넣은 다음 다시 쓴다.

블라디미르 걱정이 되는데. (침묵. 에스트라공은 바람이 잘 통하라고 발가락을 놀리면서 발을 흔든다.) 도둑놈 하나가 구원을 받았겠다. (사이) 비율치고는 괜찮지. (사이) 고고…….

에스트라공 왜?

블라디미르 혹시 뉘우친다면?

에스트라공 뭘 뉘우쳐?

블라디미르 그야…… (말을 찾는다.) 자세한 것까지 캐고 들어갈 건 없잖아.

에스트라공 이 세상에 태어난 것 말이야?

블라디미르는 한바탕 웃기 시작하더니 한 손을 사타구니에 갖다 대고 얼굴을 찡그리며 곧 웃음을 참는다.

블라디미르 이젠 맘대로 웃을 수도 없게 됐군.

에스트라공 왜 웃을 기력도 없어졌다는 거야?

블라디미르 겨우 미소나 떨 뿐이지. (그의 얼굴은 최대한의 미소로 일그러진 채 굳어버려 한동안 지속되다가 별안간 표정이 사라진다.) 이건 아닌데. 이러다간…… (사이) 고고…….

에스트라공 (짜증을 내며) 대관절 무슨 소릴 하는 거야?

블라디미르 너 성서 읽어봤냐?

에스트라공 성서라…… (생각에 잠긴다.) 한번 훑어본 것도 같은데.

블라디미르 (놀라서) 신 없는 학교에서?

에스트라공 신이 없는 학교였는지 신이 있는 학교였는지 그건 모르겠다.

블라디미르 너 로케트 교도소[1]를 가지고 그러는 거 아냐?

에스트라공 그럴지도 모르지. 어쨌든 성지의 지도는 생각난다. 색칠한 지도였는데 아주 예뻤어. 사해는 옥색이어서 그걸 들여다보기만 해도 목이 말라왔지. 난 신혼여행을 그리로 가야겠다고 생각했지. 헤엄도 치고 행복하게 될 것 같았다.

블라디미르 넌 시인이 될걸 그랬구나.

에스트라공 응 사실 난 시인이었다. (누더기 옷을 가리키며) 그렇게 안 보이니?

침묵.

블라디미르 내가 무슨 얘길 했더라…… 발은 좀 어떠냐?

에스트라공 부어오르는데.

블라디미르 참 그렇지. 도둑놈들 얘기를 했더랬지. 너도 생각

---

1) 1899년까지 파리에 있던 교도소다.

나지?

에스트라공 아니.

블라디미르 얘기해 줄까?

에스트라공 싫다.

블라디미르 심심풀이가 될 거야. (사이) 구세주하고 같이 십자가에 못 박힌 두 도둑놈 얘기였지. 그런데…….

에스트라공 누구하고라고?

블라디미르 구세주라니까. 도둑놈 둘하고. 그런데 그중 한 놈은 구원을 받았는데 또 한 놈은…… (구원의 반대말을 찾으려고 애쓴다.) 저주를 받았지.

에스트라공 무엇에서 구원을 받았다는 거야?

블라디미르 지옥에서.

에스트라공 난 가겠다. (하지만 움직이지 않는다.)

블라디미르 그런데 말이야…… (사이) 도대체 어떻게 됐길래…… 내 얘기가 듣기 싫으냐?

에스트라공 듣기 싫다.

블라디미르 도대체 어떻게 됐길래 복음서를 쓴 네 사람 중 단 하나만이 그때의 상황을 그런 식으로 전하게 됐는지 모르겠단 말이야. 네 사람이 다 그 자리에 있었을 텐데. 어쨌든 거기서 멀지 않은 곳에 있었을 텐데 말이지. 그런데 그중 한 사람만이 구원받은 도둑놈 얘기를 써 놓았거든. (사이) 이봐, 고고. 가끔씩은 맞장구를 쳐 줘야 할 것 아냐?

에스트라공 얘기나 계속해 보시지.

블라디미르 넷 중에 하나만이 그렇게 말했거든. 나머지 셋 중에서 둘은 숫제 언급도 없고, 나머지 한 사람은 그 두 도둑놈이 욕설을 퍼부었다는 거야.

에스트라공 누구 말이야?

블라디미르 뭐라고?

에스트라공 나 원, 무슨 소린지 모르겠구먼…… (사이) 누구한테 욕설을 퍼부었다는 거야?

블라디미르 구세주에게.

에스트라공 왜?

블라디미르 자기네를 구해 주려 하지 않았으니까.

에스트라공 지옥에서?

블라디미르 아니지. 이런 바보가 있나! 죽음에서.

에스트라공 그래서?

블라디미르 그러니 두 놈이 다 저주를 받았을 거거든.

에스트라공 그런데?

블라디미르 그런데, 복음서를 쓴 친구 중 하나만은 그자들 중의 하나가 구원을 받았다는 거야.

에스트라공 그래? 그렇다면 그 친구들 견해가 서로 다른 거지 뭐. 얘긴 단지 그것뿐이지 뭐야?

블라디미르 넷이 다 거기 한자리에 있었다니까. 그런데 그중 한 사람만이 구원받은 도둑 얘기를 하고 있는데, 왜 나머지 세 사람 얘기는 제쳐놓고 그 사람 말만 믿는지 모르겠다니까.

에스트라공 누가 믿는다는 거야?

블라디미르 누구나 다 그렇게 믿고 있잖아? 그 사람의 해석밖에 모르고 있다니까.

에스트라공 사람들이 다 바보니까 그렇지.

그는 힘겹게 몸을 일으키더니 절뚝거리며 무대 왼쪽 끝까지 가서 선다. 손을 두 눈에 대고 먼 곳을 바라본다. 다시 돌아서서 오른쪽 끝으로 가 역시 먼 곳을 바라본다. 블라디미르가 눈으로 그를 따르다가 구두를 주우러 간다. 구두 속을 들여다보더니 별안간 내팽개친다.

블라디미르 푸우!

바닥에 침을 뱉는다. 에스트라공이 무대 한가운데로 돌아와서 배경 쪽을 바라본다.

에스트라공 기막힌 곳이로군!

그는 돌아서서 무대 전면 끝까지 나와 관객 쪽을 바라본다.

에스트라공 멋진 경치로군. (블라디미르를 돌아보며) 자, 가자.

블라디미르 갈 순 없어.

에스트라공 왜?

블라디미르 고도를 기다려야지.

에스트라공 참 그렇지. (사이) 여기가 확실하냐?

블라디미르 뭐가?

에스트라공 기다려야 하는 게 여기난 말이야?

블라디미르 나무 앞이라고 하던데. (둘은 나무를 바라본다.) 다른 나무들이 보이냐?

에스트라공 이건 무슨 나무지?

블라디미르 버드나무 같은데.

에스트라공 잎이 없잖아?

블라디미르 죽었나 보지.

에스트라공 진이 다 빠진 거야.

블라디미르 제철이 아닐 수도 있잖아.

에스트라공 이건 버드나무라기보단 차라리 관목 같다.

블라디미르 교목이야.

에스트라공 관목이라니까.

블라디미르 교…… (말을 고쳐서) 너 그런 말을 하는 속셈이 뭐냐? 우리가 장소를 잘못 알기라도 했다는 거야?

에스트라공 이리 오기로 돼 있는데.

블라디미르 딱히 오겠다고 말한 건 아니잖아.

에스트라공 만일 안 온다면?

블라디미르 내일 다시 와야지.

에스트라공 그리고 또 모레도.

블라디미르 그래야겠지.

에스트라공 그 뒤에도 죽.

블라디미르 결국…….

에스트라공 그자가 올 때까지.

블라디미르 너 지독한 놈이로구나.

에스트라공 우린 어제도 왔잖아.

블라디미르 무슨 소리야? 또 헷갈리는구나.

에스트라공 그럼 어제 우리가 뭘 했다는 거야?

블라디미르 우리가 어제 뭘 했느냐고?

에스트라공 그래.

블라디미르 나 참…… (화를 내며) 남을 헷갈리게 하는 데는 널 따라갈 사람이 없을 거다.

에스트라공 내 생각으로는 우린 분명 여기 왔었다.

블라디미르 (주위를 둘러보며) 이 자리가 눈에 익은 모양이지?

에스트라공 난 그런 말은 안 했다.

블라디미르 그럼 뭔데?

에스트라공 아무튼 그렇다니까.

블라디미르 그래도…… 이 나무가…… (관객 쪽을 향하며) 이 진창 구덩이가…….

에스트라공 오늘 저녁이 틀림없냐?

블라디미르 뭐가?

에스트라공 우리가 기다려야 하는 게 말이다.

블라디미르 토요일이라고 했는데 (사이) 그랬던 것 같아.

에스트라공 일이 끝난 다음이랬지.

블라디미르 어디 적어둔 게 있을 거야.

그는 별의별 잡동사니가 가득 찬 주머니들을 뒤진다.

에스트라공 토요일이라니 어느 토요일 말이야? 오늘이 토요

일이던가? 아니면 혹시 일요일일지도 모르지? 아니면 월요일이거나 금요일일지도 모르고.

블라디미르 (마치 날짜가 풍경 속에 적혀 있기라도 한 듯 주변을 정신없이 둘러보며) 그럴 리가 없다.

에스트라공 그럼 목요일인가?

블라디미르 어떡하지?

에스트라공 혹시 그가 어제저녁에 왔다가 허탕을 쳤을지도 모르잖아? 그렇다면 오늘은 나타나지 않을걸.

블라디미르 그건 또 무슨 소리냐? 우리가 어제저녁에 왔었다고 했잖아?

에스트라공 내가 잘못 생각했을지도 모르지. (사이) 자, 그 얘긴 이제 그만두지 않을래?

블라디미르 (힘없이) 그러지. (에스트라공은 다시 땅바닥에 앉는다. 블라디미르는 흥분해서 무대를 왔다 갔다 한다. 간간이 발을 멈추고 지평선 쪽을 살핀다. 에스트라공은 잠이 든다. 블라디미르가 에스트라공 앞에 와서 선다.) 고고…… (침묵.) 고고……!

에스트라공, 놀라서 눈을 뜬다.

에스트라공 (무서운 현실로 되돌아오며) 좀 잤다. (나무라듯) 왜 넌 잠도 못 자게 하는 거냐?

블라디미르 외로워서.

에스트라공 꿈을 꾸었다.

블라디미르 꿈 얘긴 할 것 없다.

에스트라공 꿈에…….

블라디미르 듣기 싫다니까!

에스트라공 (온 천지를 가리키며) 그럼 넌 이런 것만 있으면 된단 말이냐? (침묵.) 디디, 넌 그렇게도 인정머리가 없냐? 내 악몽 얘기를 너한테 못 한다면 누구한테 하란 말이야?

블라디미르 너 혼자서 삭여야지. 내가 그런 얘긴 질색이라는 걸 알고 있잖아?

에스트라공 (쌀쌀하게) 우리가 헤어지는 게 낫지 않을까 하는 생각이 들 때가 있다.

블라디미르 그래 봤자 네가 갈 데나 있고?

에스트라공 문제는 바로 그거라니까. (사이) 디디, 안 그러냐? 그게 큰 문제가 아니냔 말이다. (사이) 하기야 길이 아름답겠다, (사이) 나그네들도 착하겠다, (사이를 두었다가 상냥하게) 안 그러냐? 디디?

블라디미르 조용히 해.

에스트라공 (황홀한 듯이) 조용히라…… 조용히…… (꿈꾸듯) 영국놈들은 카아암이라고 하더군. 영국놈들은 카아암한 작자들이지. (사이) 너 영국놈이 사창가에 갔던 얘기 아냐?

블라디미르 그래.

에스트라공 그럼 그 얘기나 해봐라.

블라디미르 집어치워.

에스트라공 어떤 영국 놈이 술이 곤드레만드레가 돼서 사창가엘 갔겠다. 포주 아주머니가 금발 머리와 갈색 머리와 빨강 머리 중에서 어느 쪽을 원하느냐고 물었지. 어디 그다음은 네가 얘기해 봐라.

블라디미르 집어치우라니까!

블라디미르 퇴장.

에스트라공도 일어서서 무대 끝까지 그의 뒤를 따라간다. 에스트라공, 권투 선수를 응원하는 구경꾼들의 표정을 흉내 낸다.

블라디미르가 돌아온다.

눈을 내리깐 채 에스트라공 앞을 지나서 무대를 가로질러 간다. 에스트라공, 몇 발짝 그에게로 다가가다가 멈춘다.

에스트라공 (부드럽게) 내게 무슨 할 말이라도 있냐? (블라디미르, 대답 없다. 에스트라공, 한 발짝 다가선다.) 내게 무슨 할 말이 있었냐니까. (침묵. 한 발짝 더 다가선다.) 디디, 어서 말해 봐.

블라디미르 (돌아보지도 않고) 할 말 없다.

에스트라공 (한 발짝 더 다가서며) 화났니? (침묵. 한 걸음 더 나서며) 미안하다! (침묵. 한 걸음 더 다가서서 그의 어깨를 잡는다.) 이봐 디디, (침묵.) 손을 좀 내놔봐! (블라디미르, 돌아선다.) 날 좀 껴안아 다오! (블라디미르, 표정이 굳어진다.) 버틸 것 없어! (블라디미르의 표정이 누그러진다. 둘은 껴안는다. 에스트라공이 물러서며) 휴, 마늘 냄새!

블라디미르 허리가 아파서 먹는 거야.

침묵. 에스트라공이 나무를 유심히 쳐다본다.

블라디미르 이젠 어떡하지?

에스트라공 기다리는 거지.

블라디미르 그야 그렇지만 기다리는 동안 뭘 하느냐고?

에스트라공 목이나 매고 말까?

블라디미르 그러면 그게 일어서겠지.

에스트라공 (호기심이 생겨) 그게 일어선다고?

블라디미르 그래 그러면 어떻게 되는지 알아? 거기서 떨어진 물에서 만드라고라[2] 풀이 자라난다더라. 그래서 그걸 뽑으면 삑 하는 소리가 나는 거야. 너 그건 몰랐지?

에스트라공 그렇다면 당장에 목을 매자.

블라디미르 나뭇가지에? (둘은 나무 앞으로 다가가서 쳐다본다.) 이 나무는 믿을 수가 없는걸.

에스트라공 그래도 한번 해보자.

블라디미르 너 해봐라.

에스트라공 네가 먼저.

---

2) 가지과의 약초로, 두 갈래로 갈라진 뿌리의 모양이 사람의 형상을 닮아 다양한 민간 전설의 소재가 되었다. 그중 하나가 목매달아 죽은 남자의 성기에서 떨어진 물에서 돋아난다는 전설이다.

블라디미르　아냐. 네가 먼저 해봐.

에스트라공　왜?

블라디미르　네가 나보다는 가벼우니까.

에스트라공　바로 그러니까 하는 말이다.

블라디미르　무슨 소린지 모르겠군.

에스트라공　잘 생각해 봐라.

블라디미르, 생각한다.

블라디미르　(생각한 끝에) 모르겠는데.

에스트라공　그럼 내 설명해 주지. (생각해 보고 나서) 나뭇가지는…… 나뭇가지는…… (화를 내며) 네가 이해를 해보려고 해야 할 것 아냐!

블라디미르　네 설명을 들어야만 알겠다.

에스트라공　(애를 쓰며) 고고는 가벼우니—나뭇가지가 안 부러져서—고고가 죽고—디디는 무거우니까—나뭇가지가 부러져서—디디만 남는다. (사이) 그러니……. (적절한 표현을 찾아내려고 애쓴다.)

블라디미르　그 생각을 내가 미처 못 했구나.

에스트라공　(적절한 표현을 찾아내어) 큰 게 작은 걸 이기게 마련이다, 이거지.

블라디미르　하지만 내가 너보다 무게가 더 나간단 말이야?

에스트라공　네 입으로 그랬잖아? 내가 알게 뭐냐? 가능성은 반반이야. 대충 그런 셈이지.

블라디미르 그럼 어떡한다?

에스트라공 아무 짓도 안 하는 거지. 그게 더 안전하니까.

블라디미르 그자가 뭐라고 할지 어디 기다려보자.

에스트라공 누가?

블라디미르 고도 말이야.

에스트라공 참 그렇지.

블라디미르 우리의 결심이 설 때까지는 우선 기다려보는 거야.

에스트라공 하지만 쇠뿔도 단김에 빼라는 말이 있잖아?

블라디미르 그자가 와서 무슨 말을 할지 궁금한데. 그자가 뭐라고 하든 우리로선 마찬가지지만.

에스트라공 그런데 우리가 그자한테 정확히 무슨 부탁을 했지?

블라디미르 너도 같이 있었잖아?

에스트라공 난 정신을 안 차렸거든.

블라디미르 저— 딱히 뚜렷한 건 없었지.

에스트라공 일종의 기도였지.

블라디미르 맞아.

에스트라공 막연한 탄원이었고.

블라디미르 그렇다고 할 수 있지.

에스트라공 그래 그잔 뭐라고 대답하디?

블라디미르 좀 두고 보자는 거야.

에스트라공 아무것도 약속은 못 하겠다는 거군.

블라디미르 생각을 해봐야겠다는 거지.

에스트라공 맑은 정신으로.

블라디미르　가족들하고 의논도 하고.

에스트라공　친구들하고도.

블라디미르　지배인들하고도.

에스트라공　거래상들하고도.

블라디미르　자기 장부하고도.

에스트라공　은행 통장하고도.

블라디미르　그래야 결정을 내리겠다는 거지.

에스트라공　그건 당연하지.

블라디미르　하긴 안 그렇겠니?

에스트라공　그런 것 같군.

블라디미르　내 생각도 그렇다.

휴식.

에스트라공　(불안하게) 그런데 우리는?

블라디미르　뭐라고?

에스트라공　그런데 우린 어떻게 되는 거냐고?

블라디미르　그건 또 무슨 소리야?

에스트라공　그 일에서 우리의 역할은 뭐냔 말이다.

블라디미르　우리의 역할이라니?

에스트라공　생각을 해보라고.

블라디미르　우리의 역할이라? 그야 탄원자의 역할이지.

에스트라공　그 정도야?

블라디미르　아니면? 나리께서는 내세울 만한 특권이라도 가지고 계신지요?

에스트라공 그럼 우리에겐 아무 권리도 없게 됐단 말이냐?

블라디미르가 웃으려고 하다가 전처럼 뚝 그친다. 같은 동작. 미소가 사라져버린다.

블라디미르 네 그런 소릴 들으니 웃을 수만 있다면 한바탕 웃고 싶구나.

에스트라공 우린 권리를 잃은 거냐?

블라디미르 (명료하게) 헐값으로 팔아버렸지.

침묵. 둘이 다 움직이지 않고 서 있다. 두 팔은 흔들거리고 고개를 푹 숙인 채 무릎에는 맥이 빠졌다.

에스트라공 (힘없이) 우린 꽁꽁 묶여 있는 게 아닐까? (사이) 안 그래?

블라디미르 (손을 들며) 쉿! 무슨 소리가 난다!

그들은 우스꽝스럽게 굳은 자세로 귀를 기울인다.

에스트라공 아무 소리도 안 들리는데.

블라디미르 쉿!

둘이 귀를 기울인다. 에스트라공이 몸의 중심을 잃고 쓰러질 뻔한다. 그는 블라디미르의 팔에 매달린다. 블라디미르, 휘청거린다. 그들은 서로 붙잡고 마주 쳐다보면서 귀를 기울인다.

블라디미르 내 귀에도 안 들린다.

안도의 한숨. 긴장이 풀린다. 그들은 서로 떨어진다.

에스트라공 너 때문에 괜히 놀라기만 했다.

블라디미르 그자가 오는 줄 알았지.

에스트라공 누구?

블라디미르 고도 말이야.

에스트라공 흥, 갈대가 바람에 흔들린 소리야.

블라디미르 내 귀엔 고함 소리 같았는데.

에스트라공 그자가 고함을 칠 이유가 어디 있어?

블라디미르 말을 몰고 올 테니까.

에스트라공 가자.

블라디미르 가긴 어딜 가? (사이) 오늘 밤엔 그자의 집에서 자게 될지도 모르잖아. 배불리 먹고 습기 없는 따뜻한 짚을 깔고 말이야. 그러니까 기다려볼 만하지. 안 그래?

에스트라공 그렇다고 밤을 새울 수야 없지.

블라디미르 아직 해도 지지 않았지 않아.

침묵.

에스트라공 배가 고프다.

블라디미르 당근 먹을래?

에스트라공 다른 건 없냐?

블라디미르 순무가 몇 개 있을 거다.

에스트라공 그럼 당근이나 하나 다오. (블라디미르는 주머니를 뒤져 순무 한 개를 꺼내서 에스트라공에게 준다.) 고맙다. (한입 깨물더니 투덜대듯이) 이건 순무 아냐?

블라디미르 그래? 미안하다! 난 당근인 줄 알았지. (다시 주머니를 뒤졌으나 순무밖에 나오지 않는다.) 순무밖에 없는데. (계속 뒤진다.) 지난번에 네가 먹은 게 마지막 남은 당근이었나 보다. (또 뒤진다.) 잠깐만. 됐다. (마침내 당근 하나를 꺼내 에스트라공에게 준다.) 자, 예 있어.

에스트라공은 소맷자락으로 당근을 닦아서 먹기 시작한다.

블라디미르 그럼 순무는 도로 다오. (에스트라공, 순무를 돌려준다.) 조금씩 오래오래 먹어라. 더는 없으니까.

에스트라공 (씹으면서) 아까 네게 물어본 게 있었지.

블라디미르 그래서?

에스트라공 너 대답해 줬냐?

블라디미르 당근 맛이 좋으냐?

에스트라공 달콤하다.

블라디미르 잘됐구나. 잘됐어. (사이) 그래 뭐가 알고 싶었는데?

에스트라공 생각이 안 난다. (씹어 먹는다.) 그래서 탈이라니까. (그는 당근을 즐거운 듯이 들여다보더니 허공에서 손가락 끝으로 돌려본다.) 당근 맛이 좋은데. (그는 당근 끝을 음미하듯 빨아본다.) 가만있자. 이제 생각났다. (한입 깨문다.)

블라디미르 그래 뭔데?

에스트라공 (입안 가득히 물고 건성으로 묻듯이) 우린 꽁꽁 묶여 있는 게 아닐까?

블라디미르 난 원 무슨 소린지 모르겠군.

에스트라공 (씹어 삼킨다.) 우린 꽁꽁 묶여 있는 게 아니냔 말이다.

블라디미르 묶여 있다고?

에스트라공 그래. 묶—여—있단 말이야.

블라디미르 묶여 있다니 어떻게?

에스트라공 손발이 다.

블라디미르 도대체 묶긴 누가 묶고, 누구에게 묶여 있다는 거야?

에스트라공 네가 말하는 그 작자에게.

블라디미르 고도에게? 고도에게 묶여 있다고? 무슨 소리야? 무슨 뚱딴지 같은 소리야? (사이) 아직은 안 그렇다.

에스트라공 그자 이름이 고도라고?

블라디미르 그럴걸.

에스트라공 이런! (먹다 남은 당근 청의 한끝을 손에 들고 눈앞에서 돌려본다.) 이상한데, 먹을수록 맛이 없어진단 말이지.

블라디미르 나는 정반대다.

에스트라공 정반대라니?

블라디미르 난 먹을수록 맛이 난단 말이다.

에스트라공 (한참 생각하더니) 그게 바로 정반대라는 거냐?

블라디미르 기분 문제지.

에스트라공 성격 문제다.

블라디미르 그렇다면 어쩔 수 없는 일이지.

에스트라공 날뛰어봤자 소용없는 일이지.

블라디미르 타고난 대로니까.

에스트라공 꿈틀거린다고 별수 있니?

블라디미르 근본이야 달라지지 않는 거지.

에스트라공 별수 없는 거야. (먹다 남은 당근을 블라디미르에게 내민다.) 마저 먹을래?

무시무시한 소리가 아주 가까이서 들려온다. 에스트라공, 당근을 떨어뜨린다. 둘이 다 얼어붙은 듯 서 있다가 무대 옆으로 도망친다.

에스트라공이 중간에서 멈춰 서더니 되돌아와 당근을 줍고 주머니에 넣는다. 다시 그를 기다리고 서 있는 블라디미르에게로 달려가다가 또 한번 멈추고 되돌아와서 구두를 주운 다음 블라디미르에게로 다시 뛰어간다. 둘은 서로 얼싸안고 고개를 상대편의 어깨에 처박고 소리가 난 쪽으로 등을 돌린 채 기다린다.

포조와 럭키, 등장한다. 포조가 럭키의 목에 맨 끈으로 럭키를 몰고 들어온다. 그 때문에 처음에는 럭키만 나타나고 끈은 그 뒤에 끌려 나오는데 그 끈이 너무 길어서 럭키가 무대 한가운데까지 온 다음에야 무대 옆에서 포조의 모습이 나타난다. 럭키는 무거운 트렁크와 접는 의자와 음식 바구니를 들고 팔에는 외투를 걸치고 있다. 포조는 채찍을 들고 있다.

포조 (무대 뒤에서) 좀 더 빨리!

채찍 소리, 포조 나타난다. 그들은 무대를 가로지른다. 럭키가 블라디미르와 에스트라공의 앞을 지나 퇴장한다. 포조는 에스트라공과 블라디미르를 보자 발을 멈춘다. 끈이 팽팽해진다. 포조가 사납게 잡아당긴다.

포조 뒤로!

쓰러지는 소리, 럭키가 짐을 든 채 넘어진 것이다. 블라디미르와 에스트라공이 그를 바라본다. 한편으로 도와주러 가고 싶기도 하고, 또 한편으로는 상관없는 일에 말려들기가 두려운 듯. 블라디미르가 럭키 쪽으로 한 걸음 내딛자 에스트라공이 그의 소매를 잡아당긴다.

블라디미르 놔!

에스트라공 가만있어!

포조 조심하시오! 사나운 놈이니까. (블라디미르와 에스트라공이 그를 본다) 낯선 사람들에겐…….

에스트라공 (낮은 소리로) 저 작자냐?

블라디미르 누가?

에스트라공 저…….

블라디미르 고도 말이야?

에스트라공 그래.

포조 내 이름은 포조라고 하오.

블라디미르 아니야.

에스트라공 고도라고 했잖아?

블라디미르 아니라니까.

에스트라공 (포조에게) 선생님께선 고도 씨가 아니십니까?

포조 (무서운 목소리로) 내 이름은 포조요! (침묵.) 그래도 모르겠소? (침묵.) 내 이름을 듣고도 내가 누군지 모르겠단 말이오?

블라디미르와 에스트라공, 의아한 눈으로 마주본다.

에스트라공 (기억을 더듬는 척하며) 보조라…… 보조…….

포조 포―조―!

에스트라공 아! 포조요…… 포조라…….

블라디미르 포조, 보조 어느 쪽이야?

에스트라공 포조라지 않아? ……누군지 모르겠는데.

블라디미르 (상냥하게) 전에 고조라는 집안을 알고 있었죠. 그 집 어머니는 수틀에 수를 놓고 있었는데…….

포조가 위협하듯 다가선다.

에스트라공 (황급히) 우린 이 고장 사람이 아니랍니다.

포조 (멈추어 서며) 그래도 인간임엔 틀림없을 것 아뇨? (안경을 쓴다.) 내 보기엔 그래. (안경을 벗는다.) 다 같은 인간이란 말이오. (그는 요란스러운 웃음을 터뜨린다.) 포조와 같은 종자라는 거지! 신의 자손이란 말이오!

블라디미르 저, 실은…….

포조 (단호하게) 고도는 누구요?

에스트라공 고도라뇨?

포조 날 고도로 잘못 보지 않았소?

블라디미르 천만에요. 선생님, 그런 생각은 단 한 번도 해본 일 없습니다.

포조 그게 누구냐니까?

블라디미르 그건…… 저…… 그냥 아는 사람이죠.

에스트라공 알긴요? 제대로 알지도 못하는 사람이랍니다.

블라디미르 그러믄요…… 잘 알지도 못하는 사람이지요…… 하지만…….

에스트라공 저 같으면 알아보지도 못할 텐데요.

포조 그런데 당신들은 나를 그 사람인 줄 알았단 말이오.

에스트라공 그건…… 그러니까…… 날이 어두워진 데다가…… 피곤하고…… 기운 없고…… 기다리느라고 지쳐서…… 솔직히 말씀드리자면…… 그만 잠깐 그런 생각이…….

블라디미르 이 친구 말은 듣지도 마십시오. 선생님, 들을 것도 없습죠.

포조 기다렸다니? 당신들이 그를 기다렸다는 거요?

블라디미르 그러니까. 저어…….

포조 여기서? 내 땅에서?

블라디미르 나쁜 짓을 할 생각은 없었습니다.

에스트라공 아니, 오히려 좋은 생각으로 그랬던 거죠.

포조 길이야 누구나 다닐 수 있는 거니까.

블라디미르 저희 생각도 그렇습니다.

포조 염치없는 생각이지만, 그렇게 되어 있지.

에스트라공 그거야 별수 없습죠.

포조 (거드름을 피우며) 더 이상 그 얘긴 맙시다. (끈을 잡아당긴다.) 일어서! (사이) 넘어지기만 하면 잔단 말이야. (다시 끈을 잡아당긴다.) 일어서, 이 망할 놈아! (럭키가 일어나서 짐을 드는 소리. 포조는 끈을 잡아당긴다.) 뒤로! (럭키, 뒷걸음친다.) 서! (럭키, 멈춰선다.) 돌아서! (럭키, 돌아선다. 블라디미르와 에스트라공에게 상냥하게) 두 분을 만나게 돼서 반갑소. (둘의 의아해 하는 표정을 보고) 진심으로 반갑소. (끈을 잡아당긴다.) 좀 더 가까이! (럭키, 다가온다.) 서! (럭키, 선다. 블라디미르와 에스트라공에게) 아시겠지만, 혼자 가는 길은 멀다오. 더군다나…… (시계를 들여다본다.) 더군다나…… (계산해 본다.) ……여섯 시간이나 그렇지, 여섯 시간이나 계속해서, 사람의 그림자 하나 못 보고 걸었으니 말이오. (럭키에게) 외투! (럭키, 트렁크를 내려놓고 앞으로 나와 외투를 주고 뒤로 물러서 다시 트렁크를 든다.) 이걸 들고 있어! (포조가 럭키에게 채찍을 내민다. 럭키 다가온다. 손이 모자라므로 허리를 굽혀 채찍을 입에 물고 뒤로 물러선다. 포조는 외투를 입기 시작하다가 멈춘다.) 외투! (럭키가 짐을 모두 내려놓고 앞으로 와서 포조가 외투 입는 것을 거든 다음 다시 짐을 든다.) 공기가 싸늘하군. (단추를 다 채우자 허리를 굽혀 주위를 살피더니 다시 몸을 일으킨다.) 채찍! (럭키가 다가와 허리를 구부린다. 포조는 럭키의 입에 물린 채찍을 빼앗는다. 럭키, 물러선다.) 두 양반, 나는 말이오. 내 동족들과 사귀지 않고 오랫동안 견디지는 못하는 사람이라오. (두 동족을 바라본다.) 나하고 꼭 비슷한 유의 사람이 아닌 경우라도 말이오. (럭키에게) 의자! (럭키는 트렁크와 바구니를 내려놓고 앞으로 나와 접은 의자를 펴서 땅바닥에 놓고 물러서서 다시 트렁크와 바구니를 든다. 포조가 접는 의자를 바라보며) 더 가까이! (럭키는 트렁크와 바구니를 놓고 앞으로 나와 의자를 옮겨놓은 다음 물러서서 바구니를 다시 든다. 포조는 의자에 앉는다. 채찍 끝을 럭키의 가슴에 대고 밀어낸다.) 뒤로!

(럭키, 물러선다.) 더…… (럭키, 더 물러선다.) 서…… (럭키, 멈춰선다. 블라디미르와 에스트라공에게) 그래서 두 분만 좋다면, 길을 다시 떠나기 전에 잠시 두 양반 곁에 머물고 싶은데…… 괜찮겠소? (럭키에게) 바구니…… (럭키가 다가와 바구니를 주고 물러선다.) 바깥바람을 쐬면 배가 고파진단 말이야. (그는 바구니를 열고 닭고기와 빵 한 조각과 포도주 한 병을 꺼낸다. 럭키에게) 바구니! (럭키가 앞으로 나와 바구니를 들고 물러서서 부동자세.) 더 멀리! (럭키, 더 물러선다.) 됐어! (럭키, 멈춘다.) 저놈한테서 고약한 냄새가 나거든. (그는 한 컵이나 되는 술을 병째로 마신다.) 건강을 위하여! (병을 놓고 먹기 시작한다.)

침묵, 에스트라공과 블라디미르, 차츰 대담해져 럭키의 주위를 돌며 이모저모로 살펴본다. 포조, 닭고기를 맹렬하게 뜯고는 뼈다귀까지 빨아먹은 다음 던져버린다. 럭키는 트렁크가 땅바닥에 닿을 정도로 몸이 기울어지다가는 얼른 허리를 편다. 또다시 허리가 구부러지기 시작. 그것은 선 채로 잠이 든 사람의 리듬이다.

에스트라공 왜 저러지?

블라디미르 피곤한가 봐.

에스트라공 왜 짐을 내려놓지 않을까?

블라디미르 그걸 내가 어떻게 아니? (둘은 좀 더 가까이 가 본다.) 조심해!

에스트라공 말을 걸어볼까?

블라디미르 저것 좀 봐.

에스트라공 뭘?

블라디미르 (가리켜 보이며) 저 모가지 말이야.

에스트라공 (목을 바라보며) 목이 어떻다는 거야?

블라디미르 이리 와봐.

에스트라공이 블라디미르 곁으로 간다.

에스트라공 정말.

블라디미르 지독하군.

에스트라공 끈 때문이야.

블라디미르 쓸려서 그렇지.

에스트라공 그럴 수밖에.

블라디미르 매듭 때문이야.

에스트라공 도리 없겠지.

둘은 다시 살피다가 얼굴을 들여다본다.

블라디미르 웬만큼 생겼는데.

에스트라공 (어깨를 으쓱해 보이고 입을 비쭉 내밀며) 네 눈엔 그렇게 뵈니?

블라디미르 약간 계집애 같다.

에스트라공 침을 흘리는데.

블라디미르 그럴 수밖에.

에스트라공 거품을 뿜는다.

블라디미르 아마 바보인가 보지.

에스트라공 백치야.

블라디미르 (고개를 내밀며) 바보야.

에스트라공 (같은 동작으로) 그야 알 수 없지.

블라디미르 헐떡거리고 있군.

에스트라공 그럴 수밖에.

블라디미르 저 눈을 좀 봐.

에스트라공 눈이 어떤데?

블라디미르 눈알이 튀어나온다.

에스트라공 어째 죽어가는 것 같아.

블라디미르 그럴 리가. (사이) 뭘 좀 물어봐라.

에스트라공 그래도 괜찮을까?

블라디미르 위험할 거야 없잖아?

에스트라공 (쭈뼛거리며) 여보세요…….

블라디미르 더 크게.

에스트라공 (더 큰 소리로) 여보세요…….

포조 가만 내버려 둬요! (둘은 포조 쪽으로 돌아선다. 포조는 식사를 마치고 손등으로 입을 닦는다.) 그놈이 쉬고 싶어하는 걸 모르시겠소? (그는 파이프를 꺼내 담배를 담기 시작. 에스트라공은 땅바닥에 버려져 있는 닭 뼈다귀를 보자 구미가 당기는 듯 쏘아본다.

포조는 성냥을 그어 파이프에 불을 붙이기 시작한다.) 바구니! (럭키가 움직이지 않자, 포조는 성냥을 휙 던지고 끈을 잡아당긴다.) 바구니! (럭키가 넘어질 뻔하다가 정신을 차리고 앞으로 나와 술병을 바구니에 넣고 제자리로 돌아가 먼저 자세로 되돌아간다. 에스트라공은 닭 뼈를 응시하고, 포조는 다시 두 번째 성냥으로 파이프에 불을 붙인다.) 도리 없지. 그놈으로선 할 수 없는 일이니까. (그는 담배 연기를 한 모금 빨고는 두 다리를 쭉 뻗는다.) 아! 이제 좀 기운이 나는군!

에스트라공 (조심스럽게) 선생님…….

포조 왜 그러시오?

에스트라공 저…… 선생님께선…… 저…… 안 잡수시겠죠? ……이젠 필요없으시겠죠…… 뼈다귀는……?

블라디미르 (화를 내며) 좀 더 기다리지 못해?

포조 아니, 아니, 괜찮아요…… 뼈다귀가 필요하냐고? (채찍 끝으로 뼈다귀를 굴리며) 아니, 난 이제 필요없소. (에스트라공이 뼈다귀를 주우려고 한 걸음 나선다.) 하지만…… (에스트라공, 멈춘다.) 하지만, 저 뼈다귀는 본래 저 짐꾼 몫이오. 그러니 저놈에게 달래 보시구려. (에스트라공은 럭키 쪽으로 돌아서더니, 망설인다.) 달래 보라니까. 어서 달래 봐요. 겁낼 것 없어요. 뭐라고 대답하겠지. (에스트라공은 럭키 쪽으로 가서 멈춘다.)

에스트라공 여보세요…… 실례합니다. 여보세요…….

럭키, 아무 반응이 없다.

포조가 채찍 소리를 내자 럭키 고개를 든다.

포조 야 이 더러운 놈아, 너한테 하는 소리야. 어서 대답해. (에스트라공에게) 말해 보시오.

에스트라공 실례합니다. 저 뼈다귀가 필요하신가요?

럭키는 한참 동안 에스트라공을 바라본다.

포조 (혼잣말로) 여보세요라니! (럭키가 고개를 떨군다.) 대답해! 필요한 거야? 아닌 거야? (럭키의 침묵. 에스트라공에게) 당신이나 가지시구려. (에스트라공, 뼈다귀에 달려들어 그것을 주워 뜯기 시작한다.) 하지만 이상한데. 뼈다귀가 싫다기는 처음 있는 일이란 말이야. (그는 걱정스러운 얼굴로 럭키를 바라본다.) 설마하니 저놈이 병이 난 건 아니겠지.

그는 파이프를 빤다.

블라디미르 (고함치며) 더럽다!

침묵. 에스트라공, 어리둥절해서 닭다리 뜯기를 멈추고 블라디미르와 포조를 번갈아 바라본다. 포조는 태연하다. 블라디미르는 점점 난감한 표정.

포조 (블라디미르에게) 뭘 두고 하는 소리신지?

블라디미르 (단호하게 그러나 더듬거리며) ……인간을 (럭키를 가리키며) 저런 식으로 다루다니…… 그건…… 한 인간을…… 정말…… 창피하다!

에스트라공 (자기도 거들어야겠다는 듯) 파렴치하다!

그는 다시 뼈다귀를 뜯기 시작한다.

포조 까다로운 양반들이구려. (블라디미르에게) 실례가 될지 모르지만 몇 살이시오? (침묵.) 예순? 일흔? (에스트라공에게) 몇 살이나 됐소?

에스트라공 직접 물어보시죠.

포조 내가 실례를 했나 보오. (그는 파이프를 채찍에 대고 두드려 재를 떤 다음 일어선다.) 이젠 가봐야겠소. 같이 있어 주어서 고맙소. (잠시 생각해 본다.) 어떻게들 생각하오? 당신들 곁에서 한 대 더 피우고 갈까 하는데? (두 사람, 아무 대꾸가 없다.) 내 담배 실력이란 게 별것 아니오. 연거푸 두 대를 피우는 일은 거의 없으니까. (가슴에 손을 대고는) 그럼 가슴이 두근거리거든. (사이) 니코틴 때문이지. 아무리 조심을 해도 니코틴을 들이마시게 된단 말이야. (한숨 짓는다.) 도리가 없지. (침묵.) 두 양반은 담배를 안 피우시는 모양이지? 그렇소? 안 그렇소? 그건 뭐 아무래도 좋고. (침묵.) 한데 일단 일어섰으니 어떻게 하면 자연스럽게 다시 앉을 수가 있다? ……뭐라고 할까? ……남 보기에 꺾이는 듯한 인상을 주지 않고 말이지. (블라디미르에게) 뭐라고요? (침묵.) 그건 아무래도 상관없고, 그런데……. (다시 생각에 잠긴다.)

에스트라공 야! 이제 좀 낫다.

그는 뼈다귀를 던진다.

블라디미르 그만 가자.

에스트라공 벌써?

포조 잠깐만! (그는 끈을 잡아당긴다.) 의자! (채찍으로 가리킨다. 럭키, 의자를 옮긴다.) 좀 더! 됐어! (다시 앉는다. 럭키, 물러서서 트렁크와 바구니를 다시 든다.) 자, 이젠 다시 앉았구나!

파이프에 담배를 넣기 시작.

블라디미르 가자.

포조 나 때문에 가자는 건 아니시겠지? 좀 더 있어 봐요. 후회는 안 하게 될 테니.

에스트라공 (혹시 뭐라도 주는 게 아닐까 해서) 저희야 뭐 바쁘진 않습니다.

포조 (파이프를 피우며) 두 번째는 항상 맛이 덜하단 말이야. (파이프를 입에서 떼고 그것을 바라본다.) 첫 번째 담배보다 말이오. (다시 파이프를 입에 문다.) 하지만 이만하면 괜찮은 거지.

블라디미르 난 가겠다.

포조 나하고 더 이상 있기가 싫은 모양이구먼. 내게서 인간미를 별로 못 느끼는 모양이지. 하지만 그게 이유가 될까? (블라디미르에게) 잘 생각해 보시지. 경솔한 행동을 하기 전에. 아직 날도 저물기 전인데 지금 떠난다고 합시다. 어쨌든 아직은 날이 저물기 전인데 말이야. (셋은 하늘을 쳐다본다.) 좋아요. 그렇다면 어떻게 된다? (파이프를 입에서 떼고 그것을 바라본다.) 불이 꺼졌구먼! (다시 파이프에 불을 붙인다.) 그렇다면 어떻게 된다? ……그렇다면 당신들의 약속 말이오…… 그 고데인지, 고도인지, 고뎅인지 하고 했다는…… (침묵.) ……내가 누구 얘기를 하는지 아시겠지? 당신들의 미래가 달려 있는 그 사람 말이오. (침묵.) ……장차 닥쳐올 미래가 달려 있는…….

에스트라공 저 양반 말이 맞다.

블라디미르 그걸 어떻게 아셨습니까?

포조 또 말을 거는군! 이러다간 정이 들고 말겠는데.

에스트라공 저 사람은 왜 짐을 내려놓지 않죠?

포조 나도 그 사람을 만나게 되면 기쁠 거요. 난 사람을 많이 만날수록 기쁘단 말이오. 아무리 하찮은 인간이라도 만나면 다 배울 점이 있고 마음이 넉넉해지고 더 많은 행복을 맛보게 되거든. 그러니 당신들도, (둘을 다 상대로 한다는 것을 알려주기 위해 번갈아 유심히 바라본다.) 당신들도 내게 무엇인가 안겨준 게 있을지도 모르지.

에스트라공 저 사람은 왜 짐을 땅바닥에 내려놓지 않죠?

포조 하지만 그렇진 않을 거야.

블라디미르 질문을 못 들으셨나요?

포조 (기분이 좋아져서) 질문을 했다고? 누가? 어떤 질문을? (침묵.) 조금 전만 해도 부들부들 떨면서 내게 '선생님' 소리를 하더니 이젠 질문까지 해 오다니. 이러다간 재미없겠는데.

블라디미르 (에스트라공에게) 네 말을 들으려나 보다.

에스트라공 (럭키의 주위를 돌기 시작하다가) 뭐라고?

블라디미르 어서 물어봐. 들어줄 준비가 돼 있으니.

에스트라공 뭘 물어보라는 거야?

블라디미르 저자가 왜 짐을 땅바닥에 내려놓지 않느냐는 거 말이야.

에스트라공 글쎄 왜 그럴까?

블라디미르 그걸 물어보라니까.

포조 (혹시 질문을 안 하면 어쩌지 걱정스러워 두 사람의 대화를 유심히 듣고 있다가) 당신 말은 저놈이 왜 짐을 땅바닥에 내려놓지 않는지 알고 싶다, 이거요?

블라디미르 바로 그겁니다.

포조 (에스트라공에게) 당신도 그걸 알고 싶은 거요?

에스트라공 (계속 럭키의 주위를 돌며) 바다표범처럼 훅훅거리는데.

포조 내 대답해 주리다. (에스트라공에게) 제발 가만히 좀 있어요. 신경이 쓰이는군.

블라디미르 이리 와.

에스트라공 왜 그래?

블라디미르 얘기해 준대.

둘은 마주선 채 꼼짝 않고 기다린다.

포조 좋아. 다들 준비된 거지? 다들 나를 보고 있고? (그는 럭키를 쳐다보고는 끈을 잡아당긴다. 럭키, 고개를 든다.) 날 봐, 이 망할 놈아! (럭키, 그를 쳐다본다.) 됐어! (그는 파이프를 주머니에 넣고 조그만 스프레이를 꺼내 목에 뿌린 다음 스프레이를 다시 주머니에 넣는다. 목청을 가다듬기 위해 마른기침을 하더니 침을 뱉고 나서 다시 스프레이를 꺼내 다시 목을 축이고 다시 스프레이를 주머니에 넣는다.) 이젠 준비가 됐어. 다들 듣고 있는 거지? (그는 럭키를 보고 끈을 잡아당긴다.) 앞으로! (럭키가 앞으로 다가온다.) 됐어! (럭키, 선다.) 다들 준비됐나? (그는 세 사람을 둘러본다. 마지막으로 럭키를 본 다음 끈을 잡아당긴다.) 뭐야, 이놈아? (럭키, 고개를 든다.) 난 허공에 대고 말하고 싶진 않아! 됐어. 그런데……. (생각한다.)

에스트라공 난 가겠다.

포조 당신이 알고 싶은 게 뭐였더라?

블라디미르 왜 저 사람은…….

포조 (화를 내며) 내 말을 가로막지 말아요! (사이. 더 조용하게) 모두 한꺼번에 말을 하면 아무것도 안 되지. (사이) 내가 무슨 말을 했더라? (사이. 더 크게) 내가 무슨 말을 했었지?

블라디미르가 무거운 짐을 든 사람의 시늉을 한다. 포조는 그 뜻을 알아차리지 못한 채 바라만 본다.

에스트라공 (큰 소리로) ……짐! (그는 손가락으로 럭키를 가리켜 보인다.) 왜 그렇죠? 계속 들고 있으니, (그는 헐떡이면서 짐에 짓눌린 사람의 시늉을 한다.) 절대로 땅바닥에 놓는 일이 없으니. (두 손을 펴고 거뜬한 표정으로 몸을 일으킨다.) 왜 그러냐고요?

포조 알겠소. 진작에 그렇게 말할 것이지. 왜 저놈이 제 몸을 편하게 하지 않느냐 이 말이지? 어디 그 까닭을 한번 생각해 봅시다. 그럴 권리가 없는 걸까? 그건 아니지. 그렇다면 그러고 싶지 않은 걸까? 그게 맞는 말이오. 그렇다면 왜 싫은 걸까? (사이) 여러분, 내가 그 이유를 설명해 드리지.

블라디미르 어디 좀 들어보자!

포조 그건 내게 감동을 주려는 거요, 버림받지 않으려고.

에스트라공 뭐라고요?

포조 내 설명이 서툴렀던 모양이군. 저놈은 내 동정을 사려는 거라고. 내가 자기와 헤어지지 못하게 말이요. 아니 뭐 꼭 그런 건 아니지만.

블라디미르 그렇다면 쫓아버릴 생각이신가요?

포조 저놈은 내 마음을 끌려고 그러지만, 내가 제 꾀에 넘어갈 사람인가?

블라디미르 그렇다면 쫓아버릴 생각이신가요?

포조 저놈은 제가 훌륭한 짐꾼이라는 걸 내게 보여주면 내가 저를 앞으로도 계속 짐꾼으로 쓸 거라고 생각하는 거지.

에스트라공 하지만 이젠 저자가 싫어졌단 말씀이신가요?

포조 사실 저놈은 꼭 돼지처럼 짐을 다룬다오. 직업을 잘못 택한 거지.

블라디미르 그래 쫓아버릴 생각이신가요?

포조 저놈은 저렇게 지칠 줄 모르고 짐을 들고 섰는 꼴을 보면 내가 내린 결정을 나중에 후회할 거라고 생각하는 거지. 그런 졸렬한 계산을 하고 있는 거요. 짐꾼이 저 하나밖에 없는 것처럼 말이오. (셋

이 다 럭키를 본다.) 제가 무슨 주피터의 아들 아틀라스라도 된 것처럼 말이지! (침묵.) 자 어떻소? 이만하면 당신들 질문에 대답이 된 것 같은데, 또 물어볼 게 있소?

그는 스프레이를 뿌린다.

블라디미르 그러니까 쫓아버릴 생각이신가요?

포조 하긴 운명의 장난이 없었기에 망정이지 저놈과 내 처지가 바뀌지 말란 법도 없지. 다 팔자소관이라오.

블라디미르 그러니까 쫓아버릴 생각이신가요?

포조 뭐라고?

블라디미르 그러니까 쫓아버릴 생각이냐고요?

포조 사실은 그렇소. 하긴 궁둥이를 한 대 걷어차서 문밖으로 쫓아낼 수도 있었지만, 생 소뵈르[3] 시장까지 데리고 가서 좋은 값으로 팔아버릴 생각이오. 그건 내 선의지. 솔직히 말해서 이런 녀석은 쫓아버릴 것도 없이 그대로 죽여버려야 하는 건데.

럭키, 운다.

---

3) 구세주라는 뜻이다.

에스트라공 운다.

포조 늙은 개라도 이놈보다는 위신을 세울 줄 알 거요. (그는 손수건을 에스트라공에게 내준다.) 불쌍히 여기는 모양이니, 위로해 주시지. (에스트라공, 망설인다.) 자 어서. (에스트라공, 손수건을 받는다.) 눈물을 닦아줘요. 그럼 저 녀석도 버림받았다는 생각이 좀 덜 들겠지.

에스트라공, 여전히 망설인다.

블라디미르 이리 줘. 내가 할 테니.

에스트라공, 손수건을 내주려 하지 않는다. 어린애 같은 제스처.

포조 자 어서요. 곧 울음을 그칠지도 모르니까. (에스트라공, 럭키에게 다가가 눈물을 닦아 주려는 자세를 취한다. 럭키가 정강이를 냅다 걷어찬다. 에스트라공, 손수건을 떨어뜨리고 뒤로 물러선다. 절뚝거리며 신음 소리를 지르면서 무대를 한 바퀴 돈다.) 손수건!

럭키가 트렁크와 바구니를 놓고 손수건을 주워 앞으로 다가와 포조에게 그것을 주고, 물러서서 다시 트렁크와 바구니를 든다.

에스트라공 망할 자식! 개새끼! (그는 바지를 추켜올린다.) 저놈

때문에 병신이 됐다.

포조 그래 내 뭐랍디까? 저놈은 낯선 사람을 좋아하지 않는다니까.

블라디미르 (에스트라공에게) ……어디 보자. (에스트라공, 다리를 내보인다. 포조에게 볼멘소리로) 피가 나요!

포조 건강하다는 증거지.

에스트라공 (다친 다리를 추켜들고) 난 이제 걸을 수도 없게 됐다!

블라디미르 (다정하게) ……내가 업고 가지. (사이) 정 그렇다면.

포조 이젠 울음을 그쳤군. (에스트라공에게) 그러니까 당신이 저놈을 대신하게 된 거구려. (생각에 잠긴 듯) 이 세상의 눈물의 양엔 변함이 없지. 어디선가 누가 눈물을 흘리기 시작하면 한쪽에선 눈물을 거두는 사람이 있으니 말이오. 웃음도 마찬가지요. (웃는다.) 그러니 우리 시대가 나쁘다고는 말하지 맙시다. 우리 시대라고 해서 옛날보다 더 불행할 것도 없으니까 말이오. (침묵.) 그렇다고 좋다고 말할 것도 없지. (침묵.) 그런 얘긴 아예 할 것도 없어요. (침묵.) 인구가 는 건 사실이지만.

블라디미르 좀 걸어봐.

에스트라공, 절뚝거리며 걷기 시작하더니 럭키 앞에 가서는 침을 뱉고 처음 막이 올랐을 때 앉아 있던 자리로 가서 앉는다.

포조 그런 훌륭한 걸 다 누가 나한테 가르쳐 줬는지 아시오? (사이. 손가락으로 럭키를 가리키며) 럭키 저 놈이오!

블라디미르 (하늘을 쳐다보며) 왜 이렇게 밤이 안 오지?

포조 저 녀석이 아니었더라면 난 천한 것들밖엔 생각하지도 못하고 느끼지도 못했을 거요. 내 직업이란 게 뭐, 그런 건 아무래도 좋지만—최상의 아름다움이라든가 멋이나 진리 같은 것과는 무관한 것이라서 전혀 알 수가 없었거든. 그래서 크누크를 두기로 했지.

블라디미르 (하늘을 살피다가 자기도 모르게) 크누크라니요?

포조 그런 지가 벌써 근 육십 년이나 되었지……. (속으로 계산해 본다.) ……그래. 근 육십 년이 됐소. (거만하게 몸을 일으키며) 내 나이가 그렇게는 안 들어 보이지 않소? (블라디미르, 럭키를 쳐다본다.) 저 놈에 비하면 난 청년으로 보일 테지? 안 그렇소? (사이. 럭키에게) 모자! (럭키가 바구니를 놓고 모자를 벗는다. 숱이 많은 백발이 얼굴 위로 쏟아진다. 그는 모자를 겨드랑이에 끼고 바구니를 다시 든다.) 이번엔 내 머리를 보구려. (포조가 모자를 벗는다. 여기 등장한 인물들은 모두 중절모를 쓰고 있다. 포조의 머리는 완전한 대머리다. 모자를 다시 쓴다.) 다들 보셨지?

블라디미르 크누크가 뭐죠?

포조 당신은 이 고장 사람이 아니군. 그렇다고 해서 다른 시대 사람은 아니겠지? 옛날엔 어릿광대들을 두었지만 요즘엔 크누크를 둔다오. 물론 그럴 만한 여유가 있는 사람들 얘기지만.

블라디미르 그런데 이제 와선 쫓아버리겠다는 건가요? 저렇게 충실하고 늙은 하인을?

에스트라공 사람도 아니다!

포조는 더욱더 흥분한다.

블라디미르 단물은 다 빨아먹고 나서 던져버리겠다는 거지……. (말을 찾는다.) 바나나 껍질 버리듯이 말이야. 솔직히…….

포조 (신음하며, 두 손으로 머리를 감싸고서) 더 이상은 못 참겠소…… 못 참겠다…… 이놈이 하는 짓이라니…… 당신들은 모르겠지만…… 끔찍하다고…… 제발 이놈 좀 없어졌으면 좋겠소…… (두 팔을 내젓는다.) 내가 미칠 것 같다고…… (두 팔로 머리를 감싸고 쓰러지듯) 정말 못 견디겠어.

침묵. 모두들 포조를 바라본다. 럭키, 몸서리친다.

블라디미르 못 견디겠다는 거야.

에스트라공 차마 못 보겠는데.

블라디미르 미치나 보다.

에스트라공 고약하군.

블라디미르 (럭키에게) 감히 그럴 수가 있소? 부끄럽지도 않아요? 이렇게 착한 주인 양반을! 이토록 괴롭히다니! 수십 년을 같이 지내고도 말이오! 정말 그럴 수가!

포조 (흐느끼며) 전엔…… 착했었지…… 날 도와주고…… 위로도 해주고…… 날 더 좋은 사람이 되게 해주었는데…… 지금은 날 못살게 군단 말이오…….

에스트라공 (블라디미르에게) 다른 사람을 두겠다는 걸까!

블라디미르 뭐라고?

에스트라공 쫓아버리고 다른 사람을 두겠다는 건지 아니면 이젠 아예 아무도 두질 않겠다는 건지 모르겠군.

블라디미르 그렇진 않을걸.

에스트라공 뭐라고?

블라디미르 모르겠다.

에스트라공 그럼 물어봐야겠다.

포조 (진정하고) 두 양반, 내가 무슨 짓을 하고 있었는지 나도 모르겠군. 미안하오. 깨끗이 다 잊어버려요. (점점 제정신으로 돌아오며) 내가 무슨 말을 했는지 기억이 잘 안 나지만 어쨌든 확실한 것은 옳은 말이라곤 단 한 마디도 없었으니 그런 줄들 아시오. (몸을 펴고 가슴을 두드린다.) 그래 내가 괴로움을 당하는 사람같이 보이오? 이 내가? 그럴 리가! (주머니를 뒤진다.) 내가 파이프를 어떻게 했더라?

블라디미르 멋진 저녁이로구나!

에스트라공 잊을 수가 없구나.

블라디미르 그런데 아직 끝나진 않았다.

에스트라공 안 끝난 것 같군.

블라디미르 이제 겨우 시작인걸.

에스트라공 끔찍하구나.

블라디미르 마치 연극 같구나.

에스트라공 서커스 같다.

블라디미르 뮤직홀 같다.

에스트라공 서커스 같다니까.

포조 그런데 내가 파이프를 어쨌나?

에스트라공 웃기네! 파이프를 잃어버렸구먼! (폭소를 터뜨린다.)

블라디미르 곧 돌아올게.

무대 옆으로 나가려 한다.

에스트라공 왼쪽 복도 끝이다.

블라디미르 내 자리 좀 봐줘.

퇴장.

포조 내 브리에르[4]를 잃어버리다니!

에스트라공 (배꼽을 움켜쥐며) 사람 죽이네!

포조 (고개를 들며) 혹시 못 보셨나? (블라디미르가 없어진 것을 깨닫고 낙담한 듯이) 저런! 그 양반 가버렸군! ……나한테 인사 한마디 없이! 예의가 없군! 왜 좀 붙잡지 그랬소?

에스트라공 제 딴엔 참고 있었던 거죠.

포조 아, 그랬군! (사이) 그럼 됐소.

에스트라공 (일어서며) 이리 좀 와 보세요.

포조 왜 그러오?

에스트라공 와 보면 알 거예요.

포조 그래 날더러 일어서라는 거요?

에스트라공 빨리 좀 오래두요…… 빨리…… 빨리…….

포조가 일어나서 에스트라공에게로 간다.

에스트라공 저걸 좀 보세요!

포조 저런, 저런!

에스트라공 이제 끝났어요.

블라디미르, 침울한 얼굴로 돌아와 럭키를 밀치고 의자를 발길로 걷어찬 다음 흥분해서 왔다 갔다 한다.

---

4) 브라이어(들장미) 관목의 뿌리로 만든 파이프다.

포조 기분이 안 좋은 모양인데?

에스트라공 (블라디미르에게) 너 기가 막힌 걸 놓치고 말았구나. 정말 아깝게 됐는데…….

블라디미르, 걸음을 멈추고 의자를 일으켜 세우더니, 다시 왔다 갔다 한다. 아까보다는 한결 진정된 태도로.

포조 기분이 좀 가라앉은 모양이지? (주위를 한번 둘러보고) 하긴 모든 게 다 가라앉은 것 같군. 커다란 평화가 내려앉고 있소. 좀 들어보구려. (그는 한 손을 쳐든다.) 목신도 잠들고 있소.

블라디미르 (발을 멈추며) 밤은 영영 오지 않는 걸까?

세 사람 모두 하늘을 쳐다본다.

포조 이젠 먼저 떠나고 싶은 생각이 없어졌소?

에스트라공 실은…… 아시다시피…….

포조 암, 당연하지. 당연하고말고. 내가 당신들이라도 그 고댕인지…… 고데인지…… 고도인지…… 하여튼 그자하고 만날 약속을 했다면 날이 완전히 어두워질 때까지 기다려보고 나서야 단념을 하든 말든 하겠소. (의자를 바라본다.) 다시 앉고 싶은데 어떻게 하면 앉을 수가 있다?

에스트라공 제가 거들어 드릴까요?

포조 당신이 부탁을 한다면 혹시?

에스트라공 뭐를요?

포조 내게 다시 앉아 달라고 말이오.

에스트라공 그게 거들어 드리는 게 될까요?

포조 그럴 것 같은데!

에스트라공 좋습니다. 선생님, 부디 다시 앉으시지요.

포조 아니, 아니, 그럴 필요 없어요. (사이. 낮은 소리로) 좀 더 간곡히 부탁을 해요.

에스트라공 저, 그렇게 서 계시지 마십시오. 감기 드시겠습니다.

포조 그럴까?

에스트라공 암요. 그건 틀림없습니다.

포조 당신 말이 옳을 것도 같구려. (다시 앉는다.) 고맙소. 자, 이제야 다시 앉게 됐군. (에스트라공도 다시 앉는다. 포조, 시계를 들여다보며) 이젠 헤어져야 할 시간이 됐군. 늦어지기 전에 떠나야겠소.

블라디미르 시간은 멈춰버렸는걸요.

포조 (시계를 귀에다 대면서) 무슨 소릴! 그렇게 생각하면 안 되지. (시계를 다시 주머니에 넣는다.) 무얼 어떻게 생각해도 상관없지만 그것만은 안 되지.

에스트라공 (포조에게) 이 친구는 오늘 모든 걸 비관적으로 보고 있답니다.

포조 하늘은 빼놓고겠지. (자신의 훌륭한 말에 만족하여 웃는다.) 좀 더 참으면 될 거요! 하긴 당신들은 이 고장 사람들이 아니니까 이 고장 황혼이 어떻다는 걸 아직 모를 거요. 얘기해 드릴까? (침묵. 에스트라공과 블라디미르는 각각 구두와 모자를 다시 살피기 시작. 럭키는 자신의 모자가 떨어지지만 깨닫지 못한다.) 만족하게 해드려야지. (스프레이를 뿌린다.) 이쪽을 좀 보실까? (에스트라공과 블라디미르, 계속 구두와 모자에 정신이 팔려 있고, 럭키는 졸고 있다. 포조가 채찍질을 하지만 그 소리가 아주 약하다.) 이 채찍이 왜 이 모양이지? (그는 일어서서 더 세게 채찍을 내리쳐 본다. 마침내 성공. 럭키는 깜짝 놀라고 에스트라공과 블라디미르는 각기 구두와 모자를 손에서 떨어뜨린다. 포조가 채찍을 내던진다.) 이놈의 채찍 이젠 아무짝에도 못 쓰게 됐군. (두 사람을 바라보며) 내가 무슨 얘길 했었지?

블라디미르 가자.

에스트라공 그렇게 서 계시지 말래도요. 그러다간 병나시겠습니다.

포조 참 그렇지. (다시 앉아서 에스트라공에게) 성함이 어떻게 되시지?

에스트라공 (말이 떨어지기가 무섭게) 까뛸.

포조 (대답은 듣지도 않고) 참 그렇지. 밤에 관한 얘기였지. (고개를 든다.) 좀 더 정신을 차리고 들어봐요. 안 그러면 말짱 헛일이 될 테니까. (하늘을 쳐다보며) 보시오. (모두들 하늘을 쳐다본다. 럭키만이 다시 졸기 시작. 포조가 그 모습을 보자 끈을 잡아당긴다.)

하늘을 쳐다보라니까, 이 돼지 같은 놈아! (럭키가 고개를 젖힌다.) 좋아요. 그만하면 됐소! (모두들 다시 고개를 바로잡는다.) 뭐 그렇게 이상할 것 있겠소? 그저 하늘일 뿐이지? 빛이 희미하게 밝긴 하지만 어느 하늘이든 이 시각엔 그런 거 아니오? (사이) 이 지방에선 (사이) 날씨가 좋을 때 얘기지만. (노래하는 듯한 목소리로) 한 시간쯤 됐을까. (산문적인 어조로 시계를 보면서) 하늘에서 이런 빛이 쏟아진 것이 (다시 서정적인 어조) 아침 열 시부터라고 칩시다. (어조가 높아진다) 붉고 하얀 빛을 줄기차게 쏟아내리던 하늘이 그 빛을 잃고, 엷어지더니 (두 손을 조금씩 내리는 동작) 조금씩 조금씩 더 엷어져서 결국은…… (극적인 중단. 두 손을 수평으로 넓게 내젓는 동작) 딱 그치고는 움직이질 않게 된단 말이오. (침묵.) 하지만 (설교하듯 한 손을 들고) 하지만 부드럽고 고요한 이 베일 뒤에서, (하늘을 쳐다본다. 럭키를 제외하고는 모두들 그를 따라 하늘을 쳐다본다.) 밤이 밀려와 (목소리가 더욱 떨린다.) 우리에게 달려든단 말이오. (손가락들을 소리내어 꺾으며) 이렇게 와락! (영감이 사라진다.) 우리가 전혀 예상 못 한 순간에 말이오. (침묵. 침통한 목소리로) 이 빌어먹을 땅덩어리 위에선 모든 게 이렇게 되고 마는 거지.

오랜 침묵.

에스트라공 하지만 우린 약속을 받았으니까.

블라디미르 참을 수가 있지.

에스트라공 지키기만 하면 된다.

블라디미르 걱정할 거 없지.

에스트라공 기다리기만 하면 되는 거야.

블라디미르 기다리는 거야 버릇이 돼 있으니까. (모자를 즙고 안을 들여다보고 흔들어보고 다시 쓴다.)

포조 그래 어땠소? (에스트라공과 블라디미르, 무슨 뜻인지 몰라 그를 쳐다본다.) 좋았소? 보통이오? 그저 그렇소? 시시하오? 영 형편없었소?

블라디미르 (에스트라공보다 먼저 알아차리고) 썩 좋았습니다. 아주 훌륭했어요.

포조 (에스트라공에게) 당신 생각은?

사이.

에스트라공 (영어의 억양으로) 네, 아주 좋았습니다. 아주아주 좋았습니다.

포조 (신이 나서) 고맙소. 두 양반! (사이) 난 격려의 말이 필요하단 말이야. (생각한다.) 끝부분에 가선 맥이 좀 풀렸지만. 그렇다고 생각 안 했소?

블라디미르 아, 예 약간 그런 느낌이 있었던 것도 같군요.

에스트라공 난 또 일부러 그러시는 줄 알았죠.

포조 그건 내 기억력이 신통치 못한 탓이오.

침묵.

에스트라공 그런데 아무 일도 일어나지 않는군.

포조 (안됐다는 듯) 지루한 모양이구려.

에스트라공 그렇다고 봐야죠.

포조 (블라디미르에게) 그럼 당신은?

블라디미르 신이 안 나요.

침묵. 포조는 내심 갈등을 겪는다.

포조 두 양반, 당신들은…… (적절한 말을 찾는다.) 내게 친절히 대해 주셨소.

에스트라공 원 별말씀을!

블라디미르 무슨 말씀을!

포조 아니, 아니 그건 사실이오. 두 분 다 아주 깍듯이 대해 주셨지. 그래서 생각해 봤는데, 이 착한 두 분께서 지루한 모양인데 내가 뭘 해줄 수 있을까 하고…….

에스트라공 금화 한 개라도 주시면 기꺼이 받아들이죠.

블라디미르 우린 거지가 아냐.

포조 내가 어떻게 하면 이 양반들의 지루한 마음을 좀 덜어줄 수 있을까 생각 중인데…… 벌써 뼈다귀도 주었겠다, 이것저것 얘기도 해주었겠다, 황혼에 대해서도 설명해 주었겠다, 그런 건 그 정도면 된 것 같은데, 그만하면 해줄 건 다 해준 셈인지 어떤지 모르겠단 말이야. 어떻소? 그만하면 충분하오?

에스트라공 단돈 5프랑이라도…….

블라디미르 닥쳐!

에스트라공 난 그래 보겠다.

포조 그 정도면 되겠소? 아마 그렇겠지. 하지만 난 원래 너그러운 사람이라서. 오늘만 해도 그렇지. 내겐 불리하겠지만 할 수 없지. (끈을 잡아당긴다. 럭키가 그를 쳐다본다.) 내가 괴로움을 당할 게 뻔하니까 말이오. (몸을 일으키지도 않고 허리를 굽혀 채찍을 다시 든다.) 어느 쪽을 원하오? 춤을 추게 할까? 노래를 부르게 할까? 낭독을 하게 할까? 생각을 하게 할까? 아니면…….

에스트라공 누구에게 말입니까?

포조 누구에게라니? 당신들은 생각도 할 줄 모른단 말이오?

블라디미르 저자가 생각도 합니까?

포조 하다마다, 그것도 큰 소리로 하지. 전에는 하도 멋있는 생각을 해서 내가 몇 시간이고 귀를 기울인 일도 있었다오. 그런데 지금은…… (몸서리친다.)

할 수 없지. 그래 무슨 생각을 하게 할까?

에스트라공 차라리 춤을 추게 하는 게 어떨까요? 그쪽이 더 즐거울 테니까요.

포조 반드시 그런 것도 아니오.

에스트라공 디디, 어때? 그쪽이 그래도 즐겁지 않을까?

블라디미르 난 생각하는 걸 듣고 싶다.

에스트라공 그럼 우선 춤을 추게 하고, 그다음에 생각을 하게 할 수도 있지 않을까? 너무 무리한 요구가 아니라면.

블라디미르 (포조에게) 그래도 될까요?

포조 암. 그건 문제도 아니오. 더구나 그게 자연스러운 순서지. (짤막한 웃음.)

블라디미르 그럼 춤추는 걸 보죠.

포조 (럭키에게) 들었지?

에스트라공 거절하는 법은 없나요?

포조 그건 이따 설명하기로 하고. (럭키에게) 춤춰. 이 망할 놈아!

럭키는 바구니와 트렁크를 내려놓고 무대 전면으로 조금 걸어나와 포조를 향해 돌아선다. 에스트라공이 더 잘 보려고 일어선다. 럭키가 춤을 춘다. 곧 멈춘다.

에스트라공 그게 다 춘 겁니까?

포조 더 춰!

럭키, 같은 동작을 되풀이한 후 멈춘다.

에스트라공 어이! 그게 춤이야? (럭키의 동작을 흉내 낸다.) 그 정도는 나도 추겠다. (흉내 내다가 넘어질 뻔한다. 다시 앉는다.) 연습만 조금 하면.

블라디미르 피곤한 거야.

포조 전엔 파랑돌[5], 알메[6], 브랑르[7], 지그[8], 판당고[9]에 혼파이프[10]까지 추었다오. 훨훨 날았지. 그런데 이젠 저 짓밖엔 못 하거든. 지금 저놈이 춘 춤을 뭐라고 하는지 아시오?

에스트라공 램프 상인의 죽음.

블라디미르 노인의 암.

포조 그물 춤이라고 한다오. 자기가 그물 안에 걸려들어 꼼짝도 못 한다고 생각하는 거지.

블라디미르 (예술에 대해 아는 척하며) 하긴 어딘지 모르게…….

럭키가 짐을 다시 챙기러 가려 한다.

---

5) 프로방스 지방의 민속춤이다.
6) 이집트 무희 춤이다.
7) 16~17세기의 프랑스 민속춤이다.
8) 빠른 템포의 선원 춤이다.
9) 스페인의 남성 민속춤이다.
10) 영국의 민속춤이다.

포조 (말에게 외치듯) 워이!

럭키, 동작을 멈춘다.

에스트라공 거절하는 법은 없나요?

포조 설명해 드리지. (주머니를 뒤진다.) 가만있자! (또 뒤진다.) 내가 스프레이를 어쨌더라? (또 뒤진다.) 이럴 수가! (놀란 표정으로 고개를 든다. 죽어가는 소리로) 스프레이를 잃어버렸는데!

에스트라공 (죽어가는 소리로) 난 왼쪽 폐가 아주 약해. (약하게 기침한다. 우렁찬 목소리로) 하지만 내 오른쪽 폐는 끄떡없지!

포조 (정상적인 목소리로) 없어졌어도 할 수 없지. 내가 무슨 얘길 했더라? (생각한다.) 가만있자! (생각한다.) 이럴 수가! (고개를 든다.) 내가 무슨 얘길 했었는지 생각들 해봐요.

에스트라공 지금 생각하고 있는 중이에요.

블라디미르 나도요.

포조 가만있자!

세 사람 동시에 모자를 벗고 이마에 손을 얹고 골똘히 생각한다.

웅크린 자세.

오랜 침묵.

에스트라공 (의기양양하게) 아! 알겠다!

블라디미르 생각이 난 모양이군.

포조 (초조하게) 그래 뭐요?

에스트라공 왜 저자가 짐을 내려놓지 않느냐는 거였죠.

블라디미르 아냐, 그건 아냐!

포조 아닌 게 분명하오?

블라디미르 그럼요. 그 얘긴 아까 하셨잖아요.

포조 그 얘긴 벌써 해줬다고?

에스트라공 그 얘긴 벌써 해줬던가?

블라디미르 더구나 지금은 짐을 내려놓고 있는걸요.

에스트라공 (럭키를 힐끗 보더니) 그렇군. 그렇다면?

블라디미르 짐을 내려놓고 있는데 왜 짐을 안 내려놓느냐고 물어봤을 리가 없지.

포조 지당한 말씀!

에스트라공 그런데 왜 내려놓았지?

포조 그러게 말이오.

블라디미르 춤을 추려고 그랬지.

에스트라공 맞아.

포조 맞아.

오랜 침묵.

에스트라공 (일어서며) 아무 일도 일어나지 않고 누구 하나 오지도 가지도 않는군. 정말 견디기 힘들구나.

블라디미르 (포조에게) 저자에게 생각하라고 해보시죠.

포조 그럼 놈에게 모자를 갖다줘요.

블라디미르 모자라뇨?

포조 모자가 없으면 생각을 못하니까.

블라디미르 (에스트라공에게) 모자를 갖다줘!

에스트라공 내가? 그런 봉변을 당했는데? 천만의 말씀!

블라디미르 그럼 내가 갖다주지.

움직이지 않는다.

에스트라공 제 손으로 갖다 쓰라면 되잖아?

포조 아니, 갖다주는 편이 나을 거요.

블라디미르 그럼 내가 갖다주지.

그는 모자를 주워 손끝으로 럭키에게 내민다. 럭키, 움직이지 않는다.

포조 씌워 주시오.

에스트라공 (포조에게) 받아서 쓰라고 하시죠.

포조 씌워 주는 게 좋을 거요.

블라디미르 내가 씌워 주지.

그는 조심스럽게 럭키의 주위를 돌다가 뒤로 가만가만 다가가 모자를 씌워 주고는 얼른 물러선다. 럭키, 움직이지 않는다.

침묵.

에스트라공 뭘 꾸물거리는 걸까?

포조 좀 물러서시오. (에스트라공과 블라디미르, 럭키에게서 물러선다. 포조가 끈을 잡아당기자 럭키가 그를 쳐다본다.) 생각해, 이 돼지 같은 놈아! (사이. 럭키, 춤추기 시작.) 그만! (럭키, 멈춘다.) 앞으로! (럭키, 포조 쪽으로 다가선다.) 됐어! (럭키, 멈춰선다.) 생각해!

사이.

럭키 또 한편으로 보면 그것은…….

포조 그만둬! (럭키, 입을 다문다.) 뒤로! (럭키, 물러선다.) 됐어! (럭키, 멈춘다.) 돌아서! (럭키, 관객을 향해 돌아선다.) 생각해!

럭키 (단조로운 어조로) 프앙송과 와트만의 최근의 공동 연구에서 밝혀진 바에 의하면 까까 흰 수염이 달린 까까까까 인격신은 공간의 시간 밖에 존재하고 있어 하늘의 무감각과 무공포와 침묵 위 높은 곳에서 몇몇을 제외하고는 우리를 사랑하는데 그 까닭은 모르지만 곧 알게 될 터이고 하늘의 미랑다의 본을 따서 고뇌와 불 속을 헤매는 자들과 함께 그 고통을 겪는데 그 까닭은 모르지만 시간을 두고 생각해 보기로 하고 (에스트라공과 블라디미르는 귀를 기울인다. 포조는 낙담과 혐오의 표정.) 그 불과 불길은 조금만 더 계속되면 마침내는 대들보에 불을 지르게 될 것이 분명한데 다시 말하면 지옥을 하늘까지 들어 올리게 되겠는데 그 하늘은 오늘까지도 때로는 파랗고 너무나 고요한데 그 고요는 수시로 중단되기는 하지만 그래도 반가우니 속단은 금물이고 또 한편으로는 미완성인데도 불구하고 블레스의 베르트와 테스튜와 코나르의 인체체체 측정학 아카카카데미 수상 연구 결과 인간의 계산에서 발생되는 오류 이외에 다른 어떠한 오류의 가능성도 배제된 다음과 같은 이론이 설설설정되었으니 바꾸어 말하면 속단은 금물이나 그 까닭은 알 수 없지만 프앙송과 와트만의 연구 결과 명백하게 너무나 명백하게 밝혀진 바에 의하면 (에스트라공과 블라디미르 처음으로 수군거리기 시작, 포조는 더욱 괴로운 표정.) 왜 그런지 이유는 분명치 않지만 미완성의 미완성의 테스튜와 코나르의 미완성의 미완성의 파르토프와 벨세의 노작을 위해서 다음과 같은 사실이 판명되었으니 즉 브레스의 인간은 테스튜와 코나르의 반대 의견과는 반대로 인간은 요컨대 영양 섭취와 배설의 향상에도 불구하고 계속 여위고 있고 또 이와 병행해서 왜 그런지 이유는 알 수 없지만 육체 훈련의 발달 스포츠 훈련의 발달 이를 테면 테니스 축구 달리기 도보 자전거 경주 수영 마술 항공 테니스 빙상 스케이트 롤러스케이트 테니스 항공 겨울 여름 가을 가을 스포츠 잔디밭 위의 전나무 위의 땅바닥 위의 테니스 항공 테니스 땅바닥 위의 바다 위의 공중의 하키 페니실린과 그 대용 약품에도 불구하고 요컨대 다시 말하거니와 인간은 왜소해지고 (에스트라공과 블라디미르 다시 귀를 기울이고, 포조의 흥분은 고조되어 신음 소리까지 낸다.) 테니스 항공 구 홀짜리와 십팔 홀짜리 골프 빙상 테니스 요컨대 왜 그런지 모르지만 세느 세느에와즈 세느에마르느 마르느에와즈 다시 말하면 동시에 병행해서 왜 그런지는 모르지만 여위어가고 오그라들어 다시 와즈 마르느를 들자면 볼테르가 죽은 후로 머리당 두 손가락 100그램 정도는 줄어들었는데 그 수치는 노르망디의 벌거벗은 남자의 몸무게에서 소수점 이하를 뺀 평균치로 왜 그런지 모르지만 그것은 문제가 안 되지만 그게 사실이고 보면 또 한편으로는 이게 더욱 중대한 문제지만 다음과 같은 사실이 드러나니 더욱 중대한 문제지만 스타인버그와 페터만이 진행 중에 있는 실험에 비추어볼 때 다음과 같은 사실이 드러나니 더더욱 중대한 문제지만 (블라디미르와 에스트라공의 감탄의 소리. 포조는 벌떡 일어나서 끈을 잡아당긴다. 모두들 소리친다. 럭키가 끈을 잡아당기고 휘청거리며 으르렁거린다. 모두들 럭키에게 달려든다. 그래도 럭키는 몸부림을 치며 대사를 외쳐댄다.) 스타인버그와 페터만이 포기한 실험에 비추어볼 때 들에서 산에서 바닷가에서 물가에서 물가에서 불가에서 공기는 똑같고 땅도 같고 다시 말해서 공기와 땅은 혹독한 추위로 공기와 땅은 오호라 제7기에 혹독한 추위로 돌들의 차지가 되었고 에테르와 땅과 바다는 바다와 땅과 공기 속을 엄습한 혹독한 추위와 곳곳의 깊은 구렁 때문에 돌들의 세계가 되었고 그것은 다시 말하거니와 왜 그런지 모르지만 테니스에도 불구하고 사실이 그러하며 다시 말하거니와 왜 그런지는 모르지만 의심할 여지없이 돌을 위해서 다시 말하거니와 속단은 금물이지만 다시 말하거니와 머리가 동시에 병행해서 왜 그런지 모르지만 테니스에도 불구하고 수염 불길 눈물 그토록 푸르고 고요한 돌들이 오호라 머리 머리 노르망디에서 머리가 테니스가 더욱 중대한 문제지만 포기된 미완성의 업적에도 불구하고 요컨대 돌들은 다시 말하거니와 오호라 오호라 포기된 미완의 업적에도 불구하고 머리 노르망디에서 머리가 테니스에도 불구하고 머리가 오호라 돌들이 코나르 코나르가…… (난투, 럭키는 그래도 몇 마디 소리를 더 지른다.) 테니스! 돌들이! ……그토록 고요한…… 코나르! ……미완성!…….

포조 이놈의 모자를.

블라디미르가 럭키의 모자를 잡아챈다.

럭키는 입을 다물고 쓰러진다.

무거운 침묵. 승리자들은 헐떡인다.

에스트라공 이제야 원수를 갚았다.

블라디미르는 럭키의 모자를 살피고 그 속을 들여다본다.

포조 이리 줘요!

블라디미르의 손에서 모자를 빼앗아 땅바닥에 내던지고는 그 위로 경중경중 뛰며 짓밟는다.

포조 이래야 다시는 생각을 못 하지!

블라디미르 그러다간 정신도 못 차리게 되는 거 아닐까요?

포조 내가 정신을 차리게 해주지. (럭키를 발길로 걷어찬다.) 일어서! 이 돼지 같은 놈아!

에스트라공 죽었나 봐요.

블라디미르 그러다간 죽이겠어요.

포조 일어서! 이 더러운 놈아!

끈을 잡아당긴다. 럭키, 미끄러지듯 약간 끌려간다. 에스트라공과 블라디미르에게.

포조 좀 거들어요.

블라디미르 어떻게요?

포조 저놈을 들어 올려요!

에스트라공과 블라디미르, 럭키를 일으켜 세우고 잠시 붙들고 있다가 놓는다. 럭키, 다시 쓰러진다.

에스트라공 일부러 그러는 거야.

포조 붙잡고 있어야지. (사이) 자, 어서 일으켜 세워요!

에스트라공 더 이상은 못 하겠다.

블라디미르 자 한 번만 더 해보자.

에스트라공 우릴 뭘로 아는 거야?

블라디미르 자, 어서.

그들은 럭키를 일으켜 세운 뒤 붙잡고 있는다.

포조 놓지 마시오!

에스트라공과 블라디미르, 휘청거린다.

포조 움직이지 말아요!

포조가 바구니와 트렁크를 집으러 가서 그것들을 럭키에게 갖다 준다.

포조 잘 붙잡고 있어요!

그는 트렁크를 럭키의 손에 쥐여주지만 럭키는 곧 놓치고 만다.

포조 놓지 말래도!

그는 다시 시작한다.

럭키는 손에 트렁크가 닿자 차츰 정신을 차리기 시작하여 마침내 손잡이를 손가락으로 꽉 쥔다.

포조 계속 붙들고 있어요! (바구니를 가지고 같은 동작.) 자, 이젠 놓아도 좋소.

에스트라공과 블라디미르가 럭키에게서 몸을 떼자, 럭키는 쓰러질 뻔하다가 휘청거리고 몸을 앞으로 휘더니 트렁크와 바구니를 손에 쥔 채 간신히 서게 된다.

포조가 뒤로 물러나 채찍을 내리친다.

포조 앞으로!

럭키, 앞으로 나온다.

포조 뒤로!

럭키, 물러선다.

포조 돌아서!

럭키, 몸을 돌린다.

포조 됐어! 걸을 수 있군!

에스트라공과 블라디미르를 향해.

포조 고맙소, 두 양반, 두 분에게…… (주머니를 뒤진다.) 진심으로…… (뒤진다.) 진심으로…… (뒤진다.) 진심으로…… (뒤진다.) ……내가 시계를 어쨌지? (뒤진다.) 이럴 수가! (일그러진 표정으로 고개를 든다.) 뚜껑이 이중으로 달리고 초침까지 있는 멋있는 회중시곈데, 할아버지한테서 받은 거라오. (뒤진다.) 어디다 떨어뜨린 모양이지. (땅바닥을 살펴본다. 블라디미르와 에스트라공도 같은 동작. 포조가 럭키의 망가진 모자를 발로 뒤집어 본다.) 이럴 수가 있나!

블라디미르 혹시 조끼 주머니 속에 있지 않을까요?

포조 어디 봅시다.

그는 허리를 굽혀 머리를 배에 가져가며 귀를 기울인다.

포조 아무 소리도 안 들리는데.

두 사람에게 가까이 오라는 시늉을 한다.

포조 이리들 와봐요.

두 사람, 그에게로 다가가 그의 배에 귀를 갖다 댄다. 침묵.

포조 째깍째깍 하는 소리가 들릴 텐데.
블라디미르 조용히!

모두들 허리를 굽히고 듣는다.

에스트라공 무슨 소리가 들린다.
포조 어디서?
블라디미르 그건 심장이야.
포조 (실망해서) 빌어먹을!
블라디미르 조용히!

모두들 귀를 기울인다.

에스트라공 시계가 섰나 보지.

그들은 몸을 편다.

포조 누구한테서 나는 거요. 이 구린내는?

에스트라공 이 친구는 입에서 나고 난 발에서 나죠.

포조 이젠 가봐야겠소.

에스트라공 시계는 어떡하시고요?

포조 아마 집에다 놓고 왔나 보오.

에스트라공 그럼 안녕히 가십쇼.

포조 잘들 계쇼.

블라디미르 안녕히 가십쇼.

에스트라공 안녕히 가십쇼.

침묵. 아무도 움직이지 않는다.

블라디미르 안녕히 가십쇼.

포조 잘들 계쇼.

에스트라공 안녕히 가십쇼.

침묵.

포조 여러 가지로 고마웠소.

블라디미르 저희야말로 고맙습니다.

포조 천만에.

에스트라공 아니, 정말 고맙습니다.

포조 무슨 말씀을.

블라디미르 아니, 정말 고맙습니다.

에스트라공 원 별소릴 다 하는군.

포조 그런데…… (망설인다.) ……어째 떠날 마음이 안 나는데.

에스트라공 그게 인생이죠.

포조, 돌아서서 럭키에게서 멀어져 간다. 무대 옆으로 가는 데 따라 끈이 길게 끌린다.

블라디미르 방향이 틀렸어요.

포조 끌어당기는 힘이 필요해서.

끈이 팽팽해질 때까지 무대 옆으로 멀어져 갔다가 멈추고 돌아서서 외친다.

포조 물러들 서요!

블라디미르와 에스트라공, 무대 안쪽으로 가 서서 포조 쪽을 본다. 채찍 소리.

포조 앞으로!

럭키, 움직이지 않는다.

에스트라공 앞으로!

블라디미르 앞으로!

채찍 소리. 럭키, 휘청거린다.

포조 더 빨리!

그는 무대 옆에서 나와 럭키의 뒤를 따라 무대를 가로질러 간다. 에스트라공과 블라디미르, 모자를 벗고 손을 흔든다. 럭키, 나간다. 포조가 끈과 채찍 휘두르는 소리가 들린다.

포조 더 빨리! 더 빨리!

무대에서 사라지려는 순간 포조가 발을 멈추고 돌아본다. 끈이 팽팽해지고 럭키가 넘어지는 소리.

포조 내 의자!

블라디미르가 의자를 찾아다가 포조에게 준다. 포조는 럭키를 향해 의자를 던진다.

포조 잘들 계쇼!

에스트라공·블라디미르 (손을 흔들며) 안녕히 가세요! 안녕히!

포조 일어서, 이 돼지 같은 놈아!

럭키가 일어서는 소리.

포조 앞으로!

포조 퇴장, 채찍 소리.

포조 앞으로! 잘들 계쇼! 더 빨리! 돼지 같은 놈아! 이랴! 잘들 계쇼!

침묵.

블라디미르 덕분에 시간은 잘 보냈다.

에스트라공 시간이야 안 그래도 지나갔을 텐데 뭐.

블라디미르 그야 그렇지만 훨씬 더뎠을걸.

사이.

에스트라공 이젠 뭘 하지?

블라디미르 글쎄 말이다.

에스트라공 가자.

블라디미르 갈 순 없다…….

에스트라공 왜?

블라디미르 고도를 기다려야지.

에스트라공 참 그렇지.

사이.

블라디미르 많이 달라졌지.

에스트라공 누가?

블라디미르 두 사람 다.

에스트라공 그래, 얘기나 좀 더 하자.

블라디미르 많이 달라진 것 같지 않냐?

에스트라공 그럴지도 모르지. 우리만 밤낮 이 꼴이라니까.

블라디미르 그럴지도 모른다고? 아냐 확실히 달라졌어. 너도 두 사람을 잘 봤잖아?

에스트라공 그렇다면 그런 거겠지. 하지만 난 그 사람들이 누군지는 잘 모르겠다.

블라디미르 아냐, 너도 아는 사람들이야.

에스트라공 난 모른다니까.

블라디미르 우리가 아는 사람들이야. 넌 뭐든지 다 잊어버리는구나. (사이) 하긴 같은 사람이 아닐지도 모르지.

에스트라공 그 사람들도 우릴 몰라보았잖아? 그러니까 모르는 사람이라고.

블라디미르 그건 말이 안 돼. 나도 몰라보는 척했으니까. 더구나 우릴 알아보는 사람은 아무도 없거든.

에스트라공 그 얘긴 그만두자, 문제는…… 아야!

블라디미르, 꿈쩍도 않는다.

에스트라공 아야!

블라디미르 혹시 같은 사람이 아닐지도 모르지.

에스트라공 디디! 이번엔 이쪽 발이야!

그는 절뚝거리며 처음 막이 올랐을 때 앉아 있던 자리로 간다. 무대 뒤에서 나는 소리.

소년 아저씨!

에스트라공, 멈춘다. 둘 다 소리가 나는 쪽을 바라본다.

에스트라공 또 시작이로구나.

블라디미르 이리 오너라, 얘야.

어린 소년이 겁먹은 표정으로 나타난다. 걸음을 멈춘다.

소년 알베르 아저씨는요?

블라디미르 나다.

에스트라공 왜 그러냐?

블라디미르 이리 와.

소년, 움직이지 않는다.

에스트라공 (큰 소리로) 이리 오래도!

소년, 겁먹은 듯이 다가오다가 멈춘다.

블라디미르 무슨 일이냐?

소년 고도 아저씨가요……. (입을 다문다.)

블라디미르 알겠다. (사이) 가까이 오너라.

소년, 움직이지 않는다.

에스트라공 (큰 소리로) 이리 오라니까!

소년, 겁먹은 표정으로 다가오다가 멈춘다.

에스트라공 왜 이렇게 늦게 왔냐?

블라디미르 너 고도 씨의 부탁을 받고 온 거지?

소년 네, 아저씨.

블라디미르 그럼 어서 말해 봐라.

에스트라공 그런데 왜 이렇게 늦게 왔냐?

소년은 누구에게 대답해야 할지 몰라 두 사람을 번갈아 쳐다본다.

블라디미르 (에스트라공에게) 잠자코 좀 있어.

에스트라공 너나 가만히 있어. (소년에게 다가서며) 너 지금 몇 시인 줄 아니?

소년 (물러서며) 제 탓이 아니에요, 아저씨.

에스트라공 그럼 내 탓이냐?

소년 무서웠어요, 아저씨.

에스트라공 무섭다니 뭐가? 우리가? (사이) 어서 대답을 해봐!

블라디미르 알겠다. 그 사람들이 무서웠다는 말일 게다.

에스트라공 너 여기 온 지 얼마나 됐지?

소년 방금 왔어요.

블라디미르 채찍이 무섭더냐?

소년 네.

블라디미르 고함 소리도?

소년 네.

블라디미르 그 두 사람도?

소년 네.

블라디미르 네가 아는 사람들이냐?

소년 아뇨.

블라디미르 넌 이 고장 아이냐?

소년 네.

에스트라공 모두 거짓말이야! (소년의 팔을 잡고 흔든다.) 사실대로 말해!

소년 (떨면서) 다 정말이에요.

블라디미르 가만두라니까! 너 왜 그러는 거야?

에스트라공, 소년을 놓아주고 물러서서 두 손을 얼굴에 갖다 댄다. 블라디미르와 소년이 그를 바라본다.

에스트라공, 얼굴에서 손을 뗀다. 이지러진 표정.

블라디미르 왜 그래?

에스트라공 난 불행하다.

블라디미르 원 별소릴 다 하는군! 언제부터?

에스트라공 잊어버렸다.

블라디미르 기억력이 농간을 부리는 게야. (에스트라공, 무슨 말을 하려다가 그만두고 절뚝거리며 앉으러 가서 구두를 벗기 시작한다. 블라디미르가 소년에게) 그래서?

소년 고도 씨가…….

블라디미르 (말을 가로막으며) 너를 전에 본 일이 있는 것 같은데…….

소년 글쎄요…….

블라디미르 넌 나를 모르겠니?

소년 모르겠는데요.

블라디미르 너 어제도 오지 않았냐?

소년 아뇨.

블라디미르 그럼 처음 온 거야?

소년 네.

침묵.

블라디미르 그렇게 말하겠지. (사이) 그래, 얘기해 봐라.

소년　(단숨에) 고도 씨가 오늘 밤엔 못 오고 내일은 꼭 오겠다고 전하랬어요.

블라디미르　그게 다냐?

소년　네.

블라디미르　넌 고도 씨 밑에서 일하고 있냐?

소년　네.

블라디미르　그래, 무슨 일을 하지?

소년　염소를 지켜요.

블라디미르　고도 씨는 너한테 잘해 주냐?

소년　네.

블라디미르　때리진 않니?

소년　아뇨, 난 안 때려요.

블라디미르　그럼 다른 사람은 때리고?

소년　제 형은 때려요.

블라디미르　아, 너 형이 있구나?

소년　네.

블라디미르　그래 네 형은 뭘 하냐?

소년　양 떼를 지켜요.

블라디미르　그런데 왜 너는 안 때리지?

소년　모르겠어요.

블라디미르　널 귀여워하는 모양이구나.

소년　모르겠어요.

블라디미르　먹을 건 넉넉히 주고?

소년은 망설인다.

블라디미르 먹을 건 잘 주느냔 말이다.

소년 네, 넉넉히 얻어먹어요.

블라디미르 넌 불행하진 않냐? (소년, 망설인다.) 내 말이 안 들리냐?

소년 들려요.

블라디미르 그럼?

소년 모르겠어요.

블라디미르 넌 네가 불행한지 아닌지도 모른단 말이야?

소년 몰라요.

블라디미르 꼭 나 같구나. (사이) 잠은 어디서 자냐?

소년 헛간에서요.

블라디미르 형하고 같이?

소년 네.

블라디미르 마른풀 속에서?

소년 네.

사이.

블라디미르 됐다, 그만 가봐라.

소년 고도 씨한테 가서 뭐라고 할까요?

블라디미르 가서…… (망설인다.) 가서…… 그냥 우리를 만났다고만 하려무나. (사이) 네가 우릴 만난 건 사실이니까 말이다.

소년 네.

소년은 물러서려다가 망설이더니 뒤돌아보고는 뛰어나간다. 빛이 별안간 약해지며 순식간에 밤이 된다. 달이 떠올라 하늘 저쪽 끝에 머문다. 무대 전체가 은빛에 싸여 있다.

블라디미르 이제야 밤이 됐구나!

에스트라공이 일어서서 블라디미르 쪽으로 간다. 손에는 구두 두 짝을 들고. 그는 풋라이트 가까이 구두를 내려놓고 허리를 펴 달을 본다.

블라디미르 뭘 하는 거야?

에스트라공 너처럼 달을 보고 있다.

블라디미르 구두를 가지고 뭘 하느냔 말이다.

에스트라공 여기 놔 두었다. (사이) 누군가 오겠지, 나…… 나 같은 놈이…… 나보다 발이 작은 놈이 오면 이걸 신고 좋아할 거다.

블라디미르 그럼 넌 맨발로 다니겠다는 거야?

에스트라공 예수도 그랬는걸.

블라디미르 예수라니! 느닷없이 예수 얘긴 왜 나오냐? 설마하니 너 자신을 예수에 비교하려는 건 아니겠지!

에스트라공 평생을 난 예수와 비교해 온걸.

블라디미르 하지만 예수가 살던 곳은 따뜻하고 날씨도 좋았지!

에스트라공 그래, 십자가에도 빨리 못 박혀 죽었고.

사이.

블라디미르 여긴 더 있어 봤자 할 일도 없구나.

에스트라공 어딜 가도 마찬가지다.

블라디미르 이봐 고고, 그런 소리 하지 말아. 내일이면 다 잘 될 거다.

에스트라공 어떻게?

블라디미르 아까 그 꼬마가 한 말 못 들었어?

에스트라공 못 들었다.

블라디미르 고도가 내일은 꼭 온다고 그랬지. (사이) 그래도 모르겠어?

에스트라공 그럼 여기서 기다려야겠구나.

블라디미르 미쳤냐? 우선 잠자리를 찾아야지. (에스트라공의 팔을 잡는다.) 이리 와.

그는 에스트라공을 끈다. 에스트라공이 처음에는 끌려가다가 버틴다. 둘 다 그 자리에 멈춘다.

에스트라공 (나무를 보며) 제기랄, 끈이라도 한 오라기 있었으면.

블라디미르 어서 와. 추워진다.

다시 에스트라공을 끈다. 같은 동작.

에스트라공 내일은 끈을 가져오도록 내게 일깨워 다오.

블라디미르 알았어. 가자.

에스트라공을 끈다. 같은 동작.

에스트라공 우리가 이렇게 같이 붙어 있은 지가 얼마나 될까?

블라디미르 모르겠다. 한 오십 년?

에스트라공 내가 뒤랑스 강에 뛰어들던 날, 너 생각나니?

블라디미르 그래 포도를 거둬들이고 있었지.

에스트라공 네가 나를 건져주었지.

블라디미르 다 지나간 얘기다.

에스트라공 내 옷이 햇볕에 말랐었지.

블라디미르 그 따위 생각은 이제 하지도 말아. 자, 가자.

같은 동작.

에스트라공 잠깐.

블라디미르 춥다.

에스트라공 우린 서로 떨어져 있는 편이 낫지 않았을까? (사이) 어차피 같은 길을 걷게 돼 있는 건 아니었으니까.

블라디미르 (화도 안 내고) 그야 알 수 없지.

에스트라공 그래, 알 수 없지 아무것도.

블라디미르 헤어지는 게 낫다고 생각되거들랑 언제라도 헤어질 수야 있지.

에스트라공 이젠 그럴 필요도 없다.

침묵.

블라디미르 하긴 그래, 이제 와서 그럴 필요는 없지.

침묵.

에스트라공 그만 갈까?

블라디미르 가자.

두 사람 다 움직이지는 않는다.

제2막

다음 날. 같은 시간. 같은 장소.

풋라이트 가까이 에스트라공의 구두 두 짝이 놓여 있다. 뒤꿈치는 모아져 있고 앞축은 벌려져 있다. 럭키의 모자도 같은 자리에 있다.

나무에는 잎이 조금 달려 있다.

블라디미르가 활기 있게 등장한다. 발을 멈추고 한참 동안 나무를 쳐다본다. 그러다가 갑자기 부산스럽게 무대를 이리저리 돌아다니기 시작한다. 그는 다시 구두 앞에서 멈추더니 허리를 굽혀 구두 한 짝을 집어 이리저리 살피고 냄새를 맡은 다음 조심스럽게 제자리에 내려놓는다. 그러고 나서 다시 허둥대며 왔다 갔다 한다.

이윽고 오른쪽 무대 입구 가까이 서서 이마 위에 한 손을 대고 한동안 먼 곳을 바라본다. 다시 왔다 갔다 한다. 이번에는 왼쪽 무대 입구에 서서 같은 동작.

다시 왔다 갔다 한다. 별안간 멈춰 선다. 두 손을 가슴에 모으고 고개를 뒤로 젖힌 자세로 목청을 높여 노래 부르기 시작한다.

블라디미르 개 한 마리 들어왔네…….

너무 낮은 음정으로 시작했기 때문에 중단. 기침을 한 다음 좀 더 높은 음정으로 다시 시작.

블라디미르 개 한 마리 들어왔네. 주방 안으로
들어와서 순대 하나 슬쩍 훔쳤네.
주방장이 나타나서 국자 자루로
뼈다귀도 못 추리게 때려 죽였네.
그것을 보고 있던 다른 개들이
빨리빨리 친구를 묻어 주었네.

그는 노래를 멈추고 생각에 잠기더니 다시 시작한다.

블라디미르 그것을 보고 있던 다른 개들이
빨리빨리 친구를 묻어 주었네.
하얀 나무 십자가 밑에
비문까지 이렇게 새겨 주었네.

개 한 마리 들어왔네. 주방 안으로
들어와서 순대 하나 슬쩍 훔쳤네.
주방장이 나타나 국자 자루로
뼈다귀도 못 추리게 때려 죽였네.
그것을 보고 있던 다른 개들이
빨리빨리 친구를 묻어 주었네…….

노래를 멈춘다. 같은 동작.

블라디미르 그것을 보고 있던 다른 개들이
빨리빨리 친구를 묻어 주었네…….

노래를 멈춘다.
같은 동작. 좀 낮은 음정으로.

블라디미르 빨리빨리 친구를 묻어 주었네…….

그는 노래를 멈추고 잠시 움직이지 않더니 다시 열에 들뜬 사람처럼 무대를 이리저리 왔다 갔다 한다. 다시 나무 앞에서 발을 멈추었다가 왔다 갔다 하고, 구두 앞에서 멈추었다가 왔다 갔다 하고, 왼쪽 무대 입구로 달려가 먼 곳을 바라보고는 오른쪽 무대 입구로 달려가 먼 곳을 바라본다. 그때 왼쪽 무대 입구에서 에스트라공 등장. 맨발에 고개를 숙이고 천천히 무대를 가로질러 간다. 블라디미르가 고개를 돌려 그를 본다.

블라디미르　또 너로구나!

에스트라공, 발을 멈춘다. 그러나 고개는 들지 않는다. 블라디미르가 그에게 다가간다.

블라디미르　이리 와, 껴안아 줄게!

에스트라공　건드리지 마!

블라디미르, 풀이 죽어 실망한 표정을 한다. 침묵.

블라디미르　내가 가버렸으면 좋겠니? (사이) 고고! (사이. 블라디미르, 그를 유심히 본다.) 너 매를 맞았구나? (사이) 고고! (에스트라공, 여전히 고개를 숙인 채 말이 없다.) 어젯밤은 어디서 보냈지?

침묵. 블라디미르, 다가간다.

에스트라공　건드리지 말라니까! 묻지도 말고! 아무 말도 말고 그냥 옆에 있어만 줘!

블라디미르　내가 언제 네 곁을 떠난 적이 있었니?

에스트라공　나를 혼자 가게 내버려 뒀잖아?

블라디미르　나를 좀 봐! (에스트라공, 움직이지 않는다. 우레 같은 목소리로) 나를 좀 보래도!

에스트라공이 고개를 든다. 그들은 마치 예술 작품을 감상할 때처럼 한동안 물러섰다가 다가섰다가는 또 고개를 갸우뚱하면서 서로 바라본다. 그리고 점점 더 몸을 떨면서 서로에게 다가서더니 별안간 와락 껴안고 서로 등을 두드린다. 포옹이 끝났을 때 에스트라공은 몸을 의지할 곳이 없어져 넘어질 뻔한다.

에스트라공 일수가 나빴어!

블라디미르 누구한테 맞았는데? 얘기나 해봐.

에스트라공 또 긴 하루가 지나갔구나.

블라디미르 아직 멀었는걸.

에스트라공 나한텐 하루가 지나간 거야. 무슨 일이 또 있을진 모르지만. (침묵.) 참 아까 들으니까 너 노래를 부르던데?

블라디미르 맞아. 생각난다.

에스트라공 노래 소릴 들으니 슬퍼지더라. 저 친구 외로운 모양이구나, 내가 아주 떠나버린 줄 알고 노래를 부르고 있구나 하고 생각했지.

블라디미르 기분이란 건 마음대로 조종할 수가 없는 건가 보다. 낮에는 종일 기분이 아주 좋았거든. (사이) 간밤엔 한 번도 깨지 않았으니까.

에스트라공 (슬프게) 그럼 넌 내가 없으면 오줌도 잘 나온단 말이구나.

블라디미르 네가 없으니 서운하기도 하고 한편으론 좋기도 하더라. 이상하지 않니?

에스트라공 (기분이 상해서) 좋았다고?

블라디미르 (생각한 끝에) 꼭 그런 건 아니지만…….

에스트라공 그래 지금은?

블라디미르 (생각해 보고 나서) 지금은…… (기쁜 듯이) 네가 다시 왔고…… (감정 없이) 우리가 다시 왔고…… (슬프게) 내가 다시 왔지…….

에스트라공 아무래도 넌 내가 있어서 기분이 전보다 못한 것 같구나. 나도 혼자 있을 때가 낫다.

블라디미르 (발끈해서) 그런데 왜 내게 붙어 다니는 거지?

에스트라공 모르겠다.

블라디미르 난 안다. 자기 몸 하나 지킬 줄 모르니까 그렇지. 내가 있었으면 맞도록 내버려 두진 않았을 텐데.

에스트라공 너도 별수 없었을걸.

블라디미르 왜?

에스트라공 열 놈이나 됐는걸.

블라디미르 그게 아니라, 내가 있었으면 네가 얻어맞을 짓은 못 하게 했을 거란 말이다.

에스트라공 난 아무 짓도 안 했다.

블라디미르 그런데 놈들이 널 때린 거야?

에스트라공 모르겠다.

블라디미르 이봐 고고, 네가 알 수 없는 것도 난 알 수 있단 말이다. 그건 너도 알고 있지?

에스트라공 글쎄 난 아무 짓도 안 했대도.

블라디미르 그랬을지도 모르지. 하지만 얻어맞지 않으려면 방법이 있는 거야, 방법이. 그 얘긴 이제 그만하자. 어쨌건 네가 돌아와서 반갑다.

에스트라공 열 놈이나 됐다니까.

블라디미르 너도 속으로는 반갑지? 안 그래?

에스트라공 뭐가 반가워?

블라디미르 날 다시 만나서 말이다.

에스트라공 그럴까?

블라디미르 그렇다고 해봐, 설사 그렇지 않더라도.

에스트라공 뭐라고 하라는 거야?

블라디미르 '나는 반갑다'라고 해봐.

에스트라공 난 반갑다.

블라디미르 나도.

에스트라공 나도.

블라디미르 우린 반갑다.

에스트라공 우린 반갑다. (침묵.) 그래 반가우니 이제 무얼 한다?

블라디미르 고도를 기다려야지.

에스트라공 참 그렇지.

침묵.

블라디미르 어제하곤 달라진 게 있다.

에스트라공 만약 안 온다면 어떡하지?

블라디미르 (잠시 알아듣지 못하다가) 그건 그때 가서 다시 생각해 보기로 하자. 어제하곤 달라진 게 있다니까.

에스트라공 사방에서 고름이 흘러나오는데.

블라디미르 이 나무를 좀 봐.

에스트라공 같은 고름이 두 번 흘러내리지야 않지.

블라디미르 이 나무를 좀 봐라!

에스트라공, 나무를 본다.

에스트라공 어젠 이 나무가 없었던가?

블라디미르 있었지, 너 생각 안 나냐? 하마터면 목을 맬 뻔했잖아? (생각해 본다.) 그래 맞아. (한 음절씩 끊어서) 목—을—맬—뻔—했잖아. 그런데 네가 싫다고 했지. 생각 안 나냐?

에스트라공 너 지금 꿈꾼 얘길 하는구나.

블라디미르 이럴 수가 있나? 벌써 잊어버렸다니!

에스트라공 난 원래 그렇다. 금방 잊어버리거나 평생 안 잊어버리거나 둘 중 하나다.

블라디미르 그럼 포조와 럭키도 잊어버렸냐!

에스트라공 포조와 럭키라니?

블라디미르 다 잊어버렸군!

에스트라공 어떤 미친놈이 내게 발길질한 건 생각난다. 그러다가 그놈이 또 이상한 짓거리를 했지.

블라디미르 그게 바로 럭키야!

에스트라공 그래, 그건 생각난다. 하지만 그게 언제 얘기지?

블라디미르　그리고 그놈의 주인도 기억나냐?

에스트라공　내게 빼다귀를 주었지.

블라디미르　그래, 그건 포조다!

에스트라공　그런데 그게 모두 어제 일이었단 말이냐?

블라디미르　그렇다니까.

에스트라공　바로 여기서?

블라디미르　물론이지! 너 여길 몰라보겠다는 거야?

에스트라공　(별안간 흥분해서) 몰라본다고? 뭘 몰라본단 말이야? 난 모래밭 한가운데서 거지 같은 인생을 보내 왔다. 그런데 무슨 경치의 차이 같은 걸 알아보라는 거야? (주위를 둘러보며) 이 더러운 쓰레기들을 보라고. 난 여기서 한 발짝도 떠나지 않았어.

블라디미르　진정해, 진정해!

에스트라공　그러니 제발 경치 얘기 따위는 집어치우라고! 차라리 땅속 얘기나 해다오!

블라디미르　그래도 설마하니 여기가 (몸짓) 보클뤼즈 지방을 닮았다는 건 아니겠지! 거기하고 여긴 아무튼 굉장한 차이가 있으니까.

에스트라공　보클뤼즈라니? 왜 별안간 보클뤼즈는 들먹이는 거지?

블라디미르　넌 보클뤼즈에 가본 일이 있잖아?

에스트라공　무슨 소리야? 난 보클뤼즈엔 한 번도 가본 일이 없다! 평생을 여기서 똥오줌 갈기고 살았다니까! 여기 이 똥클뤼즈[11]에서 말이다!

블라디미르 하지만 우린 보클뤼즈에 같이 갔단 말이다. 거짓말이면 손에 장을 지지겠다. 우린 포도를 땄지. 그래 루시용의 보넬리라는 사람 집에서.

에스트라공 (약간 진정된다.) 그랬을지도 모르지. 하지만 난 아무것도 보지 못했다.

블라디미르 거긴 사방이 온통 시뻘겋지 않았니?

에스트라공 (짜증스럽게) 글쎄 난 아무것도 못 봤다니까!

침묵. 블라디미르가 깊은 한숨을 쉰다.

블라디미르 고고, 너하고 같이 사는 건 힘이 드는구나.

에스트라공 그럼 헤어지는 게 낫겠구나.

블라디미르 넌 밤낮 말로만 그러고는 다시 나타나잖아.

침묵.

에스트라공 제일 좋은 길은 날 죽여 주는 거다. 다른 놈처럼.

블라디미르 다른 놈이라니? (사이) 다른 놈이라니 누구 말이야?

에스트라공 수십 억의 다른 놈들 말이다.

블라디미르 (격언조로) 인간은 저마다 작은 십자가를 지도다. (한숨짓는다.) 잠깐 사는 동안에 잠깐 동안에, 그

---

11) 원문의 메르클뤼즈는 똥을 뜻하는 '메르드'에서 만든 조어인 듯하다.

리고 그 뒤로도 잠깐.

에스트라공 그래, 그동안 우리 흥분하지 말고 얘기나 해보자꾸나. 어차피 침묵을 지킬 수는 없으니까.

블라디미르 맞아. 끊임없이 지껄여대는 거야.

에스트라공 그래야 생각을 안 하지.

블라디미르 지껄일 구실이야 늘 있는 거니까.

에스트라공 그래야 들리질 않지.

블라디미르 우린 나름대로 이유가 있으니까.

에스트라공 모든 죽은 자들의 목소리가…….

블라디미르 날개 치는 소리가 들린다.

에스트라공 나뭇잎 소리다.

블라디미르 모래 소리다.

에스트라공 나뭇잎 소리다.

침묵.

블라디미르 모두가 한꺼번에 지껄인다.

에스트라공 저마다 혼자 지껄인다.

침묵.

블라디미르 아니 소곤거린다.

에스트라공 중얼거린다.

블라디미르 살랑거린다.

에스트라공 중얼거린다.

침묵.

블라디미르 무슨 얘길 하는 걸까?

에스트라공 제 인생의 얘기겠지.

블라디미르 살았던 것만으로는 부족한 모양이지?

에스트라공 그 얘기를 꼭 해야겠다는 거지.

블라디미르 죽었으면 그만일 텐데.

에스트라공 그걸로는 부족한 거야.

침묵.

블라디미르 날개 치는 소리 같은 것이 들린다.

에스트라공 나뭇잎 소리 같다.

블라디미르 재(灰) 소리 같다.

에스트라공 나뭇잎 소리 같다.

긴 침묵.

블라디미르 무슨 말이고 좀 해봐라.

에스트라공 지금 찾고 있는 중이다.

긴 침묵.

블라디미르 (괴로운 표정) 무슨 말이든 해보라니까!

에스트라공 지금 뭘 하고 있는 거지?

블라디미르 고도를 기다리고 있지.

에스트라공 참 그렇지.

침묵.

블라디미르 정말 어렵구나!

에스트라공 노래나 불러보지 그래?

블라디미르 싫다. 싫어. (말을 찾는다.) 다시 시작하면 되겠다.

에스트라공 그래, 그건 과히 어렵지 않을 것 같은데.

블라디미르 처음이 어렵지.

에스트라공 아무 말이고 먼저 시작하면 된다.

블라디미르 그래도 할 말을 먼저 정해야지.

에스트라공 그건 그렇지.

침묵.

블라디미르 너도 거들어야지.

에스트라공 지금 찾고 있는 중이다.

침묵.

블라디미르 찾고 있노라면 무슨 소리가 들린다.

에스트라공 그건 그래.

블라디미르 그게 찾는 데 방해가 된다.

에스트라공 그렇다니까.

블라디미르 생각하는 데도 방해가 된다.

에스트라공 그래도 생각은 한다.

블라디미르 아냐. 그럴 순 없다.

에스트라공 바로 이거야. 우리 서로 반대하는 말을 하자.

블라디미르 그건 안 된다.

에스트라공 안 된다고?

블라디미르 더 이상 생각하는 위험은 막아야 하니까.

에스트라공 그렇다면 불평할 이유도 없지 않아?

블라디미르 생각한다는 게 반드시 최악의 상태는 아니지.

에스트라공 맞다. 맞아. 하지만 벌써 그런걸.

블라디미르 무슨 소리야? 벌써 그렇다니?

에스트라공 그래, 바로 그거야. 우리 서로 질문을 하자.

블라디미르 벌써 그렇다니 그게 무슨 뜻이냐니까?

에스트라공 이미 덜 그렇다고.

블라디미르 그야 그렇지.

에스트라공 이러면 어떨까? 우리가 행복한 걸로 해두면?

블라디미르 무서운 건, 이미 생각을 했다는 거야.

에스트라공 하지만 우리가 그랬던 적이 한 번이라도 있었을까?

블라디미르 이 시체들은 다 어디서 온 걸까?

에스트라공 이 해골들 말이지?

블라디미르 그래.

에스트라공 그렇지.

블라디미르 우리가 뭘 좀 생각한 모양이다.

에스트라공 처음엔 그랬지.

블라디미르 시체 보관소다. 시체 보관소야.

에스트라공 안 보면 된다.

블라디미르 그래도 자꾸 눈에 뜨이는걸.

에스트라공 그건 그렇다.

블라디미르 하는 수 없지.

에스트라공 뭐라고?

블라디미르 하는 수 없다고.

에스트라공 그래도 현실을 정면으로 대해야 한다.

블라디미르 그래 보려고 했지.

에스트라공 그건 그렇지.

블라디미르 그건 물론 최악의 상태는 아니다.

에스트라공 뭐가?

블라디미르 생각했다는 게.

에스트라공 물론이지.

블라디미르 하지만 생각을 안 해도 괜찮았을 텐데.

에스트라공 그렇다고 별수 있냐?

블라디미르 알겠다. 알겠어.

침묵.

에스트라공 조금 시작해 본 걸로는 과히 나쁘지 않았지.

블라디미르 그건 그래. 하지만 이제부턴 다른 얘깃거리를 찾아야 할 텐데.

에스트라공 글쎄 말이야.

블라디미르 글쎄 말이야.

에스트라공 글쎄 말이다.

둘 다 생각에 잠긴다.

블라디미르 내가 무슨 말을 했더라? 거기서부터 계속하면 될 텐데.

에스트라공 언제 말이냐?

블라디미르 아까 맨 처음에 말이야.

에스트라공 뭐의 맨 처음?

블라디미르 오늘 저녁 말이야. 내가 그때…… 내가 그때…….

에스트라공 네가 한 말까지 나한테 생각해 내라니 너무하잖아?

블라디미르 가만있자…… 우리가 서로 껴안았겠다…… 반가웠지…… 반가워서…… 반가우니 뭘 한다? ……기다린다고 했지…… 가만있자…… 맞았어…… 반가우니 기다린다고 했지…… 가만있자…… 그러고는 아, 그렇지. 나무!

에스트라공 나무라니?

블라디미르 생각 안 나냐?

에스트라공 난 피곤하다.

블라디미르 저길 좀 봐.

에스트라공, 나무를 쳐다본다.

에스트라공 뭘 보라는 거야?

블라디미르 어젯밤엔 온통 시커멓고 뼈만 앙상했거든! 그런데 오늘은 온통 잎으로 덮여 있잖아?

에스트라공 잎으로?

블라디미르 단 하룻밤 사이에!

에스트라공 봄이 왔나 보지.

블라디미르 하룻밤 사이에 봄이 와?

에스트라공 그러니까 어제저녁에 우린 여길 오지 않았대도. 그래! 너, 꿈에서 본 모양이구나.

블라디미르 그렇다면 어제저녁에 우린 어디 있었다는 거야?

에스트라공 모르겠다. 어쨌든 다른 데겠지. 다른 세계였다고. 공간이야 얼마든지 있으니까.

블라디미르 (자기 생각에 확신이 있으면서도) 좋아. 그럼 우린 엊저녁에 여기 안 왔다고 해두자. 그렇다면 엊저녁에 우린 뭘 했니?

에스트라공 뭘 했냐고?

블라디미르 그래, 기억을 좀 더듬어봐.

에스트라공 그야…… 잡담이나 했겠지.

블라디미르 (애써 태연해진다.) 어떤 잡담을?

에스트라공 그야 뭐…… 이것저것 아무 얘기나 지껄였겠

지…… 구두가 어떻다느니. (자신있게) 그래 생각 난다. 어제저녁에 우린 구두 얘기를 했지. 그 얘기를 해온 지가 오십 년이나 된다.

블라디미르 그리곤 무슨 일이 일어났고 뭐가 어떻게 됐는지 생각 안 난단 말이야?

에스트라공 (지친 듯이) 디디, 날 좀 못살게 굴지 마라.

블라디미르 해도 달도 전혀 생각이 안 난단 말이야?

에스트라공 해도 있었고 달도 있었겠지, 여느 날처럼.

블라디미르 뭐 별난 일 못 봤느냔 말이다.

에스트라공 모르겠대도.

블라디미르 포조와 럭키도?

에스트라공 포조?

블라디미르 뼈다귀 말이다.

에스트라공 꼭 생선 뼈다귀 같더라.

블라디미르 그걸 너한테 준 게 포조란 말이다.

에스트라공 모르겠다.

블라디미르 발길질도 생각 안 나?

에스트라공 발길질? 참 그렇지. 발길질을 당했다.

블라디미르 널 걷어찬 게 럭키다.

에스트라공 그게 모두 어제 일이었니?

블라디미르 어디 다리 좀 보자.

에스트라공 어느 쪽 말이야?

블라디미르 두 쪽 다. 바지를 올려봐. (에스트라공이 한쪽 발로 서서 블라디미르에게 다리를 내밀다가 넘어질 뻔한다.

블라디미르가 다리를 잡는다. 에스트라공, 비틀거린다.) 바지를 걷어 올리래도.

에스트라공 (비틀거리며) 못 하겠다.

블라디미르가 바지를 걷어 올린 후 다리를 들여다보고 다시 놓는다. 에스트라공, 넘어질 뻔한다.

블라디미르 저쪽. (에스트라공, 같은 다리를 내민다.) 저쪽 다리라니까. (다른 쪽 다리로 같은 동작.) 상처가 곪기 시작하는구나.

에스트라공 그래서 어떻다는 거야?

블라디미르 구두는 어쨌지?

에스트라공 내팽개쳤을 거야.

블라디미르 언제?

에스트라공 모르겠다.

블라디미르 왜?

에스트라공 생각 안 난다.

블라디미르 그게 아니라 구두는 왜 내팽개쳤느냔 말이다.

에스트라공 신으면 아프니까.

블라디미르 (구두를 가리키며) 저기 있다! (에스트라공, 구두를 바라본다.) 네가 엊저녁에 벗어놓은 데가 바로 저기란 말이다.

에스트라공, 구두 쪽으로 가서 허리를 굽혀 가까이 살핀다.

에스트라공 이건 내 거 아니다.

블라디미르 네 것이 아니라니!

에스트라공 내 건 검정 구두인데, 이건 노랗지 않니?

블라디미르 네 것이 검정 구두라는 건 확실하냐?

에스트라공 회색이라고 봐야겠지.

블라디미르 그런데 그건 노랗단 말이지? 어디 보자.

에스트라공 (구두 한 짝을 집어 들며) 자세히 보니까 푸르스름한데.

블라디미르 (다가서며) 어디 보자. (에스트라공이 그에게 구두를 내준다. 블라디미르가 살펴보고는 화를 내며 내던진다.) 이럴 수가!

에스트라공 알겠지? 이런 게 다…….

블라디미르 알겠다. 알겠어. 무슨 일이 있었는지 알겠다고.

에스트라공 이런 게 다…….

블라디미르 이제 훤히 알겠단 말이다. 어떤 놈이 와서 네 것을 신고 제 걸 벗어 놓고 간 거다.

에스트라공 왜?

블라디미르 제 것이 맞지 않았던 게지. 그래서 네 걸 신고 간 거야.

에스트라공 하지만 내 구두는 너무 작은걸…….

블라디미르 너한테나 작지 그자한텐 안 그렇단 말이다.

에스트라공 난 피곤하다. (사이) 가자.

블라디미르 가선 안 되지.

에스트라공 왜?

블라디미르 고도를 기다려야지.

에스트라공 참 그렇지. (사이) 그럼 무얼 한다?

블라디미르 하긴 무얼 해?

에스트라공 하지만 난 더는 못 버티겠다.

블라디미르 무나 줄까.

에스트라공 무밖에 없냐?

블라디미르 무도 있고 순무도 있다.

에스트라공 당근은 이제 없고?

블라디미르 없다. 또 당근 타령이냐?

에스트라공 그럼 무를 다오.

블라디미르, 주머니를 뒤진다.

순무밖에 안 나온다. 그러다가 마침내 무 한 토막이 나와 그것을 에스트라공에게 준다.

에스트라공, 무를 자세히 살피고 냄새를 맡아본다.

에스트라공 왜 이렇게 시커멓냐?

블라디미르 그래도 무임엔 틀림없다.

에스트라공 내가 붉은색 무만 좋아한다는 걸 잘 알면서도 그래?

블라디미르 그래서 그건 싫다는 게야?

에스트라공 붉은색이 아니면 싫다!

블라디미르 그럼 도로 다오.

에스트라공, 돌려준다.

에스트라공 당근이나 얻으러 가봐야겠다.

움직이지는 않는다.

블라디미르 이거야 원, 정말 따분해지는데.

에스트라공 아직 그 정도는 아니다.

침묵.

블라디미르 한번 시도해 보면 어떠냐?

에스트라공 다 해봤는걸.

블라디미르 내 말은 구두를 한번 신어보란 말이야.

에스트라공 그럴까?

블라디미르 그럼 시간이 잘 갈 거다. (에스트라공, 망설인다.) 확실히 심심풀이가 될 거야.

에스트라공 기분 전환이지.

블라디미르 심심풀이다.

에스트라공 기분 전환이야.

블라디미르 어서 신어봐.

에스트라공 그럼 거들어 줄래?

블라디미르 물론이지.

에스트라공 디디, 우리 둘이 같이 있으면 그런대로 뭐든지 해

결해 나가는 거지, 안 그래?

블라디미르 암, 그렇고말고. 자, 우선 왼쪽부터 신어봐라.

에스트라공 디디, 우린 늘 이렇게 뭔가를 찾아내는 거야. 그래서 살아 있다는 걸 실감하게 되는구나.

블라디미르 (답답한 듯이) 그래, 그래, 우린 마술사니까. 하지만 일단 결정한 건 어기지 말아야지. (그는 구두 한 짝을 집는다.) 자, 발을 내밀어봐.

에스트라공, 그에게 가까이 다가가서 한쪽 발을 쳐든다.

블라디미르 빌어먹을. 저쪽 발 말이야! (에스트라공, 다른 발을 쳐든다.) 더 높이! (둘은 서로 엉킨 채 무대를 이리저리 뒤뚱거린다. 블라디미르가 마침내 구두를 신기는데 성공.) 자, 걸어봐. (에스트라공, 걷는다.) 그래, 어떠냐?

에스트라공 맞는다.

블라디미르 (주머니에서 끈을 꺼내며) 끈을 매야지.

에스트라공 (질겁을 하며) 안 돼. 안 돼. 끈은 안 돼. 끈은!

블라디미르 무슨 소리야? 자, 한쪽 마저 신어보자. (같은 동작.) 어떠냐?

에스트라공 이쪽도 잘 맞는데.

블라디미르 발이 아프지 않아?

에스트라공 (힘을 주며 몇 발짝 걸어보더니) 아직은 안 아프다.

블라디미르 그럼 네가 신어라.

에스트라공 너무 크다.

블라디미르 언젠가는 양말을 얻어 신을 거 아냐?

에스트라공 그야 그렇지.

블라디미르 그럼 그냥 신는 거지?

에스트라공 구두 얘기라면 이제 진저리가 난다.

블라디미르 알았다. 하지만…….

에스트라공 진절머리가 난대도! (침묵.) 아무튼 앉고나 봐야겠다.

그는 눈으로 앉을 만한 곳을 찾는다. 그러다가 1막 첫 장면에서 앉았던 곳으로 가서 앉는다.

블라디미르 엊저녁에 네가 앉았던 데도 바로 거기다.

침묵.

에스트라공 잠이나 잤으면.

블라디미르 엊저녁에도 넌 잤지.

에스트라공 그럼 자야겠다.

그는 두 다리 사이에 머리를 박고 마치 자궁 속의 태아와 같은 자세를 취한다.

블라디미르 가만있어 봐. (에스트라공에게 다가가서 큰 소리로 노래를 부르기 시작.) 자장 자장 자장.

에스트라공 (고개를 들며) 너무 커.

블라디미르 (좀 약하게) 자장 자장 자장,
자장 자장 자장,
자장 자장 자장,
자장 자장 자장…….

에스트라공, 잠이 든다. 블라디미르는 저고리를 벗어 에스트라공의 어깨를 덮어주고, 자신은 몸을 덥히려고 두 팔을 크게 휘두르면서 무대 위를 이리저리 걷기 시작한다. 에스트라공이 후닥닥 놀란 듯 잠이 깨어 벌떡 일어나더니 정신 나간 듯 몇 걸음 걷는다. 블라디미르가 달려가 팔로 그를 에워싼다.

블라디미르 자…… 자…… 나야 나…… 무서울 것 없다.

에스트라공 아아!

블라디미르 자…… 자…… 이젠 다 끝났다.

에스트라공 난 넘어졌다.

블라디미르 이젠 다 끝났대도. 더 이상 생각할 것 없다.

에스트라공 내가 말이다.

블라디미르 그만둬. 아무 말 말고. 자, 우리 좀 걷기나 하자.

그는 에스트라공의 팔을 잡고 이리저리 걷게 한다. 이윽고 에스트라공이 더는 못 걷겠다고 버틴다.

에스트라공 그만 걷겠다. 피곤하다.

블라디미르 그럼 아무 짓도 안 하고 그냥 우두커니 서 있겠단 말이야?

에스트라공 그래.

블라디미르 마음대로 하렴.

그는 에스트라공을 놓아주고 저고리를 집어다 몸에 걸친다.

에스트라공 가자.

블라디미르 가선 안 되지.

에스트라공 왜?

블라디미르 고도를 기다려야지.

에스트라공 참 그렇지. (블라디미르가 다시 왔다 갔다 한다.) 가만히 좀 있을 수 없겠니?

블라디미르 추워서.

에스트라공 너무 일찍 왔나보다.

블라디미르 전에도 늘 해가 질 무렵에 왔는걸.

에스트라공 하지만 해가 지질 않지 않아?

블라디미르 그러다가 별안간 질 거다. 어저께처럼.

에스트라공 그러고 나면 밤이 되어버리지.

블라디미르 그럼 가도 되겠지.

에스트라공 그러다간 또 날이 새고. (사이) 그러니 어떡하면 좋지? 어떡하면?

블라디미르 (걸음을 멈추고 격렬한 소리로) 그만 좀 징징대지 못

할까! 네 징징대는 소리에 내가 미치겠다!

에스트라공 난 가겠다.

블라디미르 (럭키의 모자를 보고) 이런!

에스트라공 잘 있어.

블라디미르 럭키의 모자다! (가까이 간다.) 여기 온 지 벌써 한 시간이 지났는데 여태 이걸 못 봤다니! (몹시 기쁜 표정) 틀림없다!

에스트라공 나를 다시는 못 볼 거다.

블라디미르 그러니 장소는 틀린 게 아니야. 이제 우린 안심이다. (그는 럭키의 모자를 주워 그것을 들여다보고는 바로잡는다.) 아주 멋있는 모자 같은데. (그는 자신의 모자를 벗고 럭키의 모자를 쓴 다음 제 것은 에스트라공에게 준다.) 자!

에스트라공 뭐야?

블라디미르 이걸 좀 잡고 있어.

에스트라공이 블라디미르의 모자를 받고, 블라디미르는 두 손으로 럭키의 모자를 매만진다. 에스트라공은 블라디미르의 모자를 받아 쓰고 제 것은 블라디미르에게 건넨다. 블라디미르가 에스트라공의 모자를 받는다. 에스트라공이 두 손으로 블라디미르의 모자를 매만진다. 블라디미르는 럭키의 모자를 벗고 에스트라공의 모자를 쓴다. 럭키의 모자는 에스트라공에게 준다. 에스트라공, 럭키의 모자를 쓴다. 블라디미르, 두 손으로 에스트라공의 모자를 매만진다. 에스트라공, 블라디미르의 모자를 벗고 럭키의 모자를 쓰며 블라디미르의 모자는 다시 블라디미르에게 넘겨준다. 블라디미르, 제 모자를 받아 든다. 에스트라공, 두 손으로 럭키의 모자를 매만진다. 블라디미르, 에스트라공의 모자를 벗고 제 모자를 쓰며 에스트라공의 모자는 에스트라공에게 넘긴다. 에스트라공, 제 모자를 받는다. 블라디미르, 두 손으로 제 모자를 매만진다. 에스트라공, 럭키의 모자를 벗고 제 모자를 쓰며 럭키의 모자는 블라디미르에게 넘긴다. 블라디미르, 럭키의 모자를 받는다. 에스트라공, 두 손으로 제 모자를 매만진다. 블라디미르, 제 모자를 벗고 럭키의 모자를 쓰며 제 모자는 에스트라공에게 넘긴다. 에스트라공, 블라디미르의 모자를 받는다. 블라디미르, 두 손으로 럭키의 모자를 매만진다. 에스트라공, 블라디미르의 모자를 블라디미르에게 넘긴다. 블라디미르, 그것을 받자 에스트라공에게 다시 넘긴다. 에스트라공, 그것을 받자 블라디미르에게 넘긴다. 블라디미르, 그것을 받아 내팽개친다. 이상의 동작은 모두 재빠르게 진행된다.

블라디미르 나한테 어울리냐?
에스트라공 모르겠다.
블라디미르 모르겠다니. 너 보기에 어떠냐니까?

그는 고개를 좌우로 우아하게 움직여 보이고 마네킹 시늉을 한다.

에스트라공 꼴불견이구나.
블라디미르 보통 때보다도 더 그렇다는 건 아니겠지?
에스트라공 마찬가지다.

블라디미르　그렇다면 그냥 내가 써야겠다. 내 모자는 불편해서. (사이) 뭐랄까? 근질근질하거든.

에스트라공　난 가겠다.

블라디미르　무슨 놀이 하지 않을래?

에스트라공　놀이는 무슨 놀이를?

블라디미르　포조와 럭키 흉내를 내보면 어떨까?

에스트라공　모르겠다.

블라디미르　내가 럭키 노릇을 할 테니 넌 포조를 해라. (짐의 무게에 눌려 허리가 꺾인 럭키의 자세를 흉내 낸다. 에스트라공, 어이없다는 듯이 그를 바라본다.) 자, 시작이다.

에스트라공　날더러 어떡하라는 거야?

블라디미르　내게 욕지거리를 해봐!

에스트라공　이 치사한 놈아!

블라디미르　더 심하게!

에스트라공　더러운 놈! 거지 같은 놈!

블라디미르가 여전히 몸을 구부린 자세로 앞으로 나왔다 물러섰다 한다.

블라디미르　나보고 생각하라고 해!

에스트라공　뭐라고?

블라디미르　이렇게 말해. 생각해! 이 돼지 같은 놈아!

에스트라공　생각해! 이 돼지 같은 놈아!

침묵.

블라디미르 그건 못 하겠다.

에스트라공 그만두자.

블라디미르 나보고 춤을 추라고 해봐.

에스트라공 춤춰. 이 돼지 같은 놈아!

그는 그 자리에서 몸을 비꾼다.

에스트라공이 후닥닥 뛰어나간다.

블라디미르 이것도 안 되겠는데! (그는 고개를 들고 에스트라공이 없어진 것을 알자 비통한 외마디 소리를 지른다.) 고고! (침묵. 그는 거의 뛰다시피 무대를 우왕좌왕. 에스트라공, 헐떡이며 다급하게 되돌아와 블라디미르에게로 달려간다. 몇 발짝을 사이에 두고 둘은 마주선다.) 결국 또 돌아왔구나.

에스트라공 (헐떡거리며) 난 망했다.

블라디미르 어디 갔었는데 그래? 난 또 아주 가버린 줄 알았지.

에스트라공 언덕 끝에까지 갔었는데 누가 온다.

블라디미르 누가?

에스트라공 모르겠다.

블라디미르 몇이냐?

에스트라공 모르겠다.

블라디미르 (의기양양하게) 고도다! 이제야 오는구나! (그는 에스트라공을 정신없이 껴안는다.) 고고! 고도다 고도! 우린 이제 살았다! 어서 마중이나 나가자! 어서 와! (그는 무대 입구를 향해 에스트라공을 끌고 간다. 에스트라공은 버티다가 뿌리치고 무대 맞은편 입구로 뛰어나간다.) 고고! 돌아와! (침묵. 블라디미르는 에스트라공이 사라진 출입구로 달려가서 먼 곳을 바라본다. 에스트라공이 또다시 황급히 돌아와 블라디미르에게로 달려간다. 블라디미르가 돌아보며) 너 다시 왔구나!

에스트라공 난 망했다.

블라디미르 멀리까지 갔었니?

에스트라공 언덕 끝에까지.

블라디미르 하긴 우리가 있는 곳이 언덕 위니까 우린 결국 쟁반 위에 올려진 꼴이지.

에스트라공 저쪽에서도 온다.

블라디미르 그럼 포위당한 거야! (에스트라공은 겁에 질려 무대 안쪽 휘장을 향해 달려가다가 막에 휘말려 넘어진다.) 이 바보야 그쪽으로는 빠져나갈 데가 없어! (블라디미르가 가서 그를 일으켜 무대 전면으로 끌어낸다. 관객을 향해) 여긴 아무도 없다. 그러니 이쪽으로 달아나라! 자, 어서! (그는 에스트라공을 오케스트라 박스 쪽으로 밀어낸다. 에스트라공, 질겁을 해 뒤로 물러난다.) 왜 싫으냐? 아 알겠다. 그럼…… (생각한다.) 숨는 수밖에 없겠구나.

에스트라공 어디에?

블라디미르 나무 뒤에. (에스트라공, 망설인다.) 빨리빨리 나무 뒤로 가라니까. (에스트라공이 나무 뒤로 뛰어가 숨는다. 그러나 제대로 가려지지 않는다.) 이젠 꼼짝 마라! (에스트라공이 나무 뒤에서 나온다.) 이 나무는 아무짝에도 못 쓰겠구나. (에스트라공에게) 너 혹시 미친 거 아니냐?

에스트라공 (좀 진정되어) 머리가 돌았었다. (그는 창피한 듯 고개를 숙인다.) 미안하다! (다시 의연하게 고개를 든다.) 이젠 다 끝났다. 두고 봐. 네가 하라는 대로 할 테니.

블라디미르 할 게 있어야지.

에스트라공 저기 가서 가만히 서 있어. (그는 블라디미르를 왼쪽 무대 출입구 쪽으로 끌고 가서 무대를 등지고 길 한가운데 서게 한다.) 여기 가만히 서 있어, 눈을 뜬 채로. (그는 반대쪽 출입구로 달려간다. 블라디미르가 어깨 너머로 그를 돌아다본다. 에스트라공은 발을 멈추고 먼 곳을 바라본 다음 돌아다본다. 둘은 어깨 너머로 시선이 마주친다.) 서로 등을 보이고 서니까 꼭 옛날 좋은 시절 결투 장면 같은데! (그들은 잠시 서로 바라보다가 다시 고개를 돌려 저마다 망을 본다. 긴 침묵.) 아무도 안 오냐?

블라디미르 뭐라고?

에스트라공 아무도 안 오냐고?

블라디미르 안 온다.

에스트라공 이쪽도 안 온다.

둘은 계속 망을 본다.

긴 침묵.

블라디미르 네가 잘못 봤나 보다.

에스트라공 (돌아보며) 뭐라고?

블라디미르 (더 큰 소리로) 네가 잘못 봤나 보다고.

에스트라공 소리 지르지 마!

둘은 또 망을 본다.

긴 침묵.

블라디미르 · 에스트라공 (동시에 돌아다보며) 저건…… 저건…….

블라디미르 아, 미안하다.

에스트라공 먼저 말해라.

블라디미르 아냐 아냐!

에스트라공 먼저 말하래도!

블라디미르 내가 네 말을 가로막았는걸.

에스트라공 아니다. 그 반대다.

둘은 화난 얼굴로 마주 바라본다.

블라디미르 사양할 것 없다.

에스트라공 너나 고집부리지 말고, 어서.

블라디미르 (큰 소리로) 하려던 말을 해보라니까.

에스트라공 (역시 큰 소리로) 너부터 먼저 하라고.

침묵. 그들은 서로 다가가 멈춘다.

블라디미르 이런 딱한 놈 봤나!

에스트라공 됐다 됐어! 우리 서로 욕지거리나 하자. (서로 욕설을 퍼붓는다. 이어서 침묵.) 이제, 그만 화해하자.

블라디미르 고고!

에스트라공 디디!

블라디미르 악수하자!

에스트라공 좋다!

블라디미르 내 품으로 와!

에스트라공 네 품안으로?

블라디미르 (팔을 벌리며) 이리 와!

에스트라공 그래 간다.

둘은 서로 껴안는다. 침묵.

블라디미르 장난을 하니까 시간이 빨리 가는구나!

침묵.

에스트라공 이젠 뭘 한다?

블라디미르 기다리면서 말이야?

에스트라공 그래 기다리면서.

침묵.

블라디미르 운동이나 해볼까?

에스트라공 체조 말이지?

블라디미르 유연체조.

에스트라공 긴장 풀기 체조.

블라디미르 회전체조.

에스트라공 긴장 풀기 체조.

블라디미르 몸을 덥히기 위해서.

에스트라공 진정하기 위해서.

블라디미르 자, 시작.

그는 깡총깡총 뛰기 시작한다. 에스트라공이 그 흉내를 낸다.

에스트라공 (멈추면서) 그만하자. 피곤하다.

블라디미르 신이 안 나는구나. 그래도 심호흡은 하자.

에스트라공 숨도 쉬기 싫다.

블라디미르 네 말이 맞다. (휴식.) 그럼 나무 모양으로 평균 잡기나 해볼까?

에스트라공 평균 잡기?

블라디미르가 휘청거리며 나무 모양으로 평균 잡기를 한다.

블라디미르 (바로 서며) 네 차례다.

에스트라공이 휘청거리며 한 발로 서서 균형을 잡는다.

에스트라공 하느님이 나를 보고 계실까?

블라디미르 눈을 감아야지.

에스트라공이 눈을 감는다. 더욱 휘청거린다.

에스트라공 (중단하고 두 주먹을 휘두르며 목청을 높여 소리친다.) 하느님 저를 불쌍히 여겨주소서!

블라디미르 (발끈해서) 그럼 나는?

에스트라공 (같은 동작) 저예요, 저! 불쌍히 여겨주소서! 저를요!

포조와 럭키 등장.

포조는 장님이 되어 있고 럭키는 1막에서처럼 짐을 잔뜩 들고 있다. 끈도 1막 때와 같지만 그때보다는 길이가 훨씬 짧아져서 포조가 뒤따르기 쉽도록 되어 있다. 럭키는 새 모자를 쓰고 있다. 그는 블라디미르와 에스트라공을 보자 걸음을 멈춘다. 포조는 계속 걸어오다가 럭키의 몸에 부딪힌다. 블라디미르와 에스트라공, 물러선다.

포조 (럭키에게 매달린다. 럭키는 이 더해진 무게에 짓눌려 휘청거린다.) 무슨 일이야? 누가 소리를 질렀지?

럭키가 들고 있던 짐과 함께 넘어진다. 포조도 어쩔 수 없이 끌려서 넘어진다. 그들은 짐이 흩어진 한가운데 쓰러져 있다.

에스트라공 고도냐?

블라디미르 마침 잘 왔다. (그는 그들이 쓰러져 있는 곳으로 간다. 에스트라공이 뒤따른다.) 드디어 원군이 온 거다!

포조 (질린 소리로) 사람 살려!

에스트라공 고도냐?

블라디미르 맥이 빠지려는 판에 잘됐다. 이제 오늘 밤은 잘 넘기게 됐구나.

포조 이쪽이오!

에스트라공 살려달라고 하잖아?

블라디미르 이젠 우리만이 아니다. 밤을 기다리고, 고도를 기다리고…… 또…… 어쨌든 기다리는 게 말이다. 저녁 내내 우리 둘이서만 갖은 수를 다 써가며 애를 썼는데. 하지만, 이젠 끝났다. 벌써 내일이 된 거나 진배없으니까.

포조 이쪽이오!

블라디미르 벌써 시간이 흐르는 게 다르지 않냐 말이다. 이제 곧 해가 지면 달이 뜰 테고, 그러면 우리도 떠날 수 있다. 여기서 말이야.

포조 살려줘요!

블라디미르 포조가 딱하게 됐구나!

에스트라공 난 또 그자인 줄 알았지.

블라디미르 누구?

에스트라공 고도 말이다.

블라디미르 고도가 아니야.

에스트라공 고도가 아니라고?

블라디미르 고도는 아니다.

에스트라공 그럼 누구냐?

블라디미르 포조다.

포조 나요. 나! 날 좀 일으켜 줘요!

블라디미르 일어나지도 못하는구나.

에스트라공 그만 가자.

블라디미르 갈 수는 없다.

에스트라공 왜?

블라디미르 고도를 기다려야지.

에스트라공 참 그렇지.

블라디미르 저자가 또 네게 뼈다귀를 줄지도 모른다.

에스트라공 뼈다귀?

블라디미르 그래. 닭 뼈다귀 말이야. 생각 안 나냐?

에스트라공 그게 바로 저자냐?

블라디미르 그래.

에스트라공 그럼 달래 봐.

블라디미르 우선 거들어 주는 게 어떨까?

에스트라공 뭘 거들어 줘?

블라디미르 일어나는 걸 말이다.

에스트라공 혼자서는 일어나지도 못하냐?

블라디미르 일어나고 싶어는 하지만.

에스트라공 그럼 저 혼자 일어나라지.

블라디미르 그러질 못한다니까.

에스트라공 왜 못 한다는 거야?

블라디미르 나도 모르겠다.

포조는 몸을 뒤틀며 신음한다. 주먹으로 땅을 친다.

에스트라공 뼈다귀를 먼저 달래 볼까? 만일 안 주겠다면 그냥 내버려 두지 뭐.

블라디미르 네 말은 저자를 우리 마음대로 살릴 수도 죽일 수도 있다, 이거냐?

에스트라공 그렇지.

블라디미르 그럼 조건을 내세워서 살려 주기로 하면 어떨까?

에스트라공 그러자.

블라디미르 그 생각이 괜찮을 것 같은데, 한 가지 겁나는 게 있지만…….

에스트라공 뭐가?

블라디미르 별안간 럭키가 사정없이 덤벼들면 어쩌지? 그럼 우리 쪽이 당할걸.

에스트라공 럭키라니?

블라디미르 어저께 너한테 덤벼든 놈 말이야.

에스트라공 그건 열 놈이나 됐대도.

블라디미르 그게 아니라 그 전에 너한테 발길질을 한 놈 말이야.

에스트라공 그놈이 여기 있냐?

블라디미르 저길 보라고. (몸짓.) 지금은 저렇게 가만있지만 언제 날뛸지 알게 뭐냐?

에스트라공 저자들 둘을 우리가 본때 있게 손을 봐주는 게 어때?

블라디미르 자고 있는 틈을 타서 덮치자 이거야?

에스트라공 그래.

블라디미르 좋은 생각이다. 하지만 우리가 그럴 수 있을까? 저자가 진짜로 자는 걸까? (사이) 제일 좋은 방법은 포조가 살려 달랄 때 살려 줘서 그자에게 은혜를 베푸는 거지.

에스트라공 하지만 지금 저자는 안 그러는데……?

블라디미르 공연한 얘기로 시간만 허비하겠다. (사이. 열띤 소리로) 자, 기회가 왔으니 그동안에 무엇이든 하자. 우리 같은 놈들을 필요로 하는 일이 항상 있는 건 아니니까. 솔직히 지금 꼭 우리보고 해 달라는 것도 아니잖아. 다른 놈들이라도 우리만큼은 해낼 수 있을 테니까. 우리보다 더 잘할 수도 있을 걸. 방금 들은 살려 달라는 소리는 인류 전체에게 한 말일 거야. 하지만 지금 이 자리엔 우리 둘뿐이니 싫건 좋건 그 인간이 우리란 말이다. 그러니 너무 늦기 전에 그 기회를 이용해야 해. 불행히도 인간으로 태어난 바에야 이번 한 번만이라도 의젓하게 인간이란 종족의 대표가 돼 보자는 거다. 네 생각은 어떠냐? (에스트라공, 아무 대꾸가 없다.) 하기야 팔장을 끼고 가부를 이모저모 따져보는 것도 우리 인간 조건에 위배되는 것은 아니지. 호랑이는 아무 생각 안 하고 제 동족을 구하러 뛰어들기도 하고 그런가 하면 깊은 숲속으로 달아나버리기도 하지. 하지만 문제는 그런 게 아니야. 문제는 지금 이 자리에서 우리가 뭘 해야 하는가를 따져 보는 거란 말이다. 우린 다행히도 그걸 알고 있거든. 이 모든 혼돈 속에서도 단 하나 확실한 게 있지. 그건 고도가 오기를 우린 기다리고 있다는 거야.

에스트라공 그건 그렇지.

블라디미르 아니면 밤이 오기를 기다리고 있는 거다. (사이) 우린 약속을 지키러 나온 거야. 그거면 된 거다. 물론 우린 성인군자가 아니지만 그래도 약속을 지키러 나온 거란 말이다. 이 정도라도 말할 수 있는 사람이 몇이나 될까?

에스트라공 수없이 많겠지.

블라디미르 그럴까?

에스트라공 난 모르겠다.

블라디미르 그럴지도 모르지.

포조 사람 살려!

블라디미르 확실한 건 이런 상황에선 시간이 길다는 거다. 그리고 그 긴 시간 동안 우린 온갖 짓거리를 다 해 가며 시간을 메울 수밖에 없다는 거다. 뭐랄까 얼핏 보기에는 이치에 닿는 것 같지만 사실은 버릇이 되어버린 거동을 하면서 말이다. 넌 그게 이성이 잠드는 것을 막으려고 하는 짓이라고 할지 모르지. 그 말은 나도 알겠다. 하지만 난 가끔 이런 생각을 해본다. 이성은 이미 한없이 깊은 영원한 어둠 속을 방황하고 있는 게 아닐까 하고 말이야. 너 내 말 알아듣겠냐?

에스트라공 인간은 모두 미치광이로 태어나는 거다. 그중에는 끝내 미치광이로 끝나는 자들도 있고.

포조 사람 살려! 돈을 줄게!

에스트라공 얼마 주겠소?

포조 100프랑.

에스트라공 너무 적어.

블라디미르 난 그렇게까진 생각지 않아!

에스트라공 그럼 넌 적지 않단 말이냐?

블라디미르 아니, 그게 아니라 난 내가 태어날 때 미치광이였다고 생각하진 않는단 말이다.

포조 200프랑.

블라디미르 우린 기다리고 있다. 우린 지루하다. (한 손을 치켜든다.) 아니, 반대하지 말아! 지독하게 지루하다는 건 이론의 여지가 없으니까. 그런데 심심풀이를 할 일이 코앞에 나타났는데 우린 뭘 하고 있는 거지? 그냥 썩히고 있잖느냔 말이다. 자, 시작하는 거다. (포조를 향해 가다가 멈춘다.) 조금 있으면 모두들 사라지고 우린 다시 외톨이가 되겠지. 이 허허벌판 한가운데서.

그는 생각에 잠긴다.

포조 200프랑!

블라디미르 가요, 가!

그는 포조를 들어 올리려 하지만 실패한다. 다시 시도해 보다가 짐에 걸려 넘어진다. 일어나려고 하는데 안 된다.

에스트라공 다들 왜 이 지경이야?

블라디미르 사람 살려!

에스트라공 난 가겠다.

블라디미르 날 버리고 가지 말아! 이놈들이 날 죽일 거다!

포조 여기가 어디요?

블라디미르 고고!

포조 이쪽이오!

블라디미르 날 거들어 다오!

에스트라공 난 가겠다.

블라디미르 우선 날 거들어 주고 나서 같이 가자.

에스트라공 약속하지?

블라디미르 그래 맹세한다.

에스트라공 그리고 다신 안 오는 거다.

블라디미르 그래 다신 안 온다!

에스트라공 아리에주로 가자.

블라디미르 어디라도 좋다.

포조 300프랑! 400프랑!

에스트라공 전부터 늘 아리에주 지방을 돌아다니고 싶었거든.

블라디미르 마음대로 돌아다니려무나.

에스트라공 누가 방귀를 뀌었지?

블라디미르 포조다.

포조 나요 나! 살려 주오!

에스트라공 구역질이 난다.

블라디미르 빨리빨리! 손을 줘!

에스트라공 난 가겠다. (사이. 더 큰 소리로) 난 가겠다니까!

블라디미르 좋아! 혼자 못 일어설 줄 알고? (일어서려고 하다가 다시 쓰러지며) 언젠가는 일어서게 되겠지.

에스트라공 왜 그러냐?

블라디미르 꺼져버려!

에스트라공 혼자 여기 있으려고?

블라디미르 당분간은.

에스트라공 일어나래도. 그러다간 감기 들겠다.

블라디미르 내 걱정은 말아.

에스트라공 이봐, 디디. 버틸 것 없잖아? (그는 블라디미르에게 손을 내민다. 블라디미르가 얼른 그 손을 잡는다.) 자, 일어서!

블라디미르 끌어!

에스트라공이 끌다가 비틀거리며 넘어진다. 긴 침묵.

포조 이쪽이오!

블라디미르 여기 있어요.

포조 당신들은 누구요?

블라디미르 우린 사람이오.

침묵.

에스트라공 땅바닥에 누우니 기분 좋은데!

블라디미르 너 일어날 수 있겠니?

에스트라공 글쎄.

블라디미르 한번 일어나 봐.

에스트라공 조금 있다가. 조금 있다가.

침묵.

포조 무슨 일이오?

블라디미르 (큰 소리로) 입 좀 다물지 못해! 저런 몹쓸 녀석이 있나! 제 생각만 하다니!

에스트라공 잠이나 자볼까?

블라디미르 지금 한 소리 들었지? 무슨 일이 일어났느냐는 거야.

에스트라공 내버려 둬. 자자.

침묵.

포조 사람 살려! 사람 살려!

에스트라공 (깜짝 놀라며) 뭐라고? 무슨 일이야?

블라디미르 너 잠들었냐?

에스트라공 그랬나 보다.

블라디미르 또 그 포조라는 놈이다!

에스트라공 입 좀 닥치라고 해! 주둥이를 쥐어박아 버려!

블라디미르 (포조를 몇 번 쥐어박으며) 또 그럴 테냐? 입 좀 닥치지 못해? 이 버러지 같은 놈아! (포조가 고통스러운 비명을 지르며 몸을 빼고 기어서 도망친다. 이따금 그는 발을 멈추고 럭키를 부르며 장님처럼 손으로 허공을 저어본다. 블라디미르는 팔꿈치를 괴고 눈으로 그의 뒤를 따른다.) 도망쳤구나! (포조, 넘어진다. 침묵.) 넘어졌다!

침묵.

에스트라공 이젠 뭘 한다?

블라디미르 저놈한테까지 기어가 볼까?

에스트라공 내 곁을 떠나지 말아.

블라디미르 그럼 여기서 불러 볼까?

에스트라공 그러자. 네가 불러 봐라.

블라디미르 포조! (사이) 포조! (사이) 대답이 없는데.

에스트라공 같이 불러 보자.

블라디미르·에스트라공 포조! 포조!

블라디미르 움직였다.

에스트라공 저놈의 이름이 포조가 확실하냐?

블라디미르 (걱정스러운 듯) 포조 씨 돌아와요. 이젠 때리지 않을 테니!

침묵.

에스트라공 다른 이름으로 불러 보면 어떨까?

블라디미르 아주 뻔은 건 아닐까?

에스트라공 그럼 재미있을 거다.

블라디미르 뭐가 재미있어?

에스트라공 다른 이름으로 불러보는 게 재미있겠단 말이다. 아무 이름이나 차례차례로 말이야. 그럼 시간이 잘 갈 거다. 그러노라면 진짜 이름이 나오겠지 뭐.

블라디미르 포조가 저자 이름이래도.

에스트라공 이제 두고 보면 알 게 아냐? 자…… (생각한다.) 아벨! 아벨!

포조 이쪽이오!

에스트라공 그것 봐.

블라디미르 이런 짓거리에는 이제 넌더리가 난다.

에스트라공 또 한 놈의 이름은 카인일 거다. (부른다.) 카인! 카인!

포조 이쪽이오!

에스트라공 그러면 인류 전체다. (침묵.) 저길 봐라. 구름 한 조각이 있구나.

블라디미르 (눈을 들며) 어디?

에스트라공 저기 하늘 한가운데.

블라디미르 그래서? (사이) 그게 뭐 어떻다는 거야?

침묵.

에스트라공 이젠 다른 걸로 넘어가자. 어때?

블라디미르 내가 막 그러자고 할 참이었다.

에스트라공 하지만 뭘 한다?

블라디미르 바로 그거야.

침묵.

에스트라공 우선 일어나 볼까?

블라디미르 또 해보는 거지 뭐.

둘은 일어선다.

에스트라공 별로 어렵지도 않은데.

블라디미르 한다면 하는 거지 뭐.

에스트라공 그럼 이젠 뭘 한다?

포조 사람 살려!

에스트라공 그만 가자.

블라디미르 갈 순 없다.

에스트라공 왜?

블라디미르 고도를 기다려야지.

에스트라공 참 그렇지. (사이) 뭘 한다?

포조 사람 살려!

블라디미르 살려 줄까?

에스트라공 어떡하면 되는데?

블라디미르 저놈이 일어나고 싶어 하잖아?

에스트라공 그래서?

블라디미르 저놈이 일어날 수 있도록 거들어 주는 거지.

에스트라공 좋아. 그럼 거들어 주자. 망설일 거 없다.

그들은 포조가 일어나도록 거들어 준다. 두 사람이 몸을 빼자 포조가 다시 쓰러진다.

블라디미르 붙잡고 있어야 해. (같은 동작. 포조가 두 사람 사이에 서서 그들의 목에 매달린다.) 서 있는 게 다시 익

숙해질 때까지는……. (포조에게) 좀 괜찮아졌소?

포조 당신들은 누구요?

블라디미르 우릴 모르시겠소?

포조 눈이 멀어서.

에스트라공 그럼 미래의 일은 잘 볼지도 모른다.

블라디미르 (포조에게) 언제부터요?

포조 전에는 눈이 아주 좋았다오. 한데 당신들은 친구요?

에스트라공 (큰 소리로 웃으며) 우리더러 친구냐고 묻는 거야!

블라디미르 그게 아니라 우리가 자기 친구냐는 거지.

에스트라공 그건 어떨까?

블라디미르 우리가 절 도와줬으니 친구라고 봐야지.

에스트라공 맞아! 친구가 아니라면 우리가 저를 도와주지 않았을 테니까.

블라디미르 그렇겠지.

에스트라공 그렇고말고.

블라디미르 그건 그 정도로 해두자.

포조 당신들 강도는 아니오?

에스트라공 강도라고? 그래 우리가 강도로 보이냐?

블라디미르 그만해 둬. 장님이니까.

에스트라공 제기랄. 그렇구나! (사이) 제 입으로 그렇다니까…….

포조 내 곁을 떠나지 마오.

블라디미르 그건 걱정 마쇼.

에스트라공 당장이야 안 가니까.

포조 지금 몇 시요?

에스트라공 (하늘을 살펴보며) 글쎄…….

블라디미르 일곱 시? ……여덟 시?

에스트라공 계절에 따라 달라요.

포조 저녁이오?

침묵.

블라디미르와 에스트라공이 서쪽을 바라본다.

에스트라공 해가 다시 솟아오르는 것 같다.

블라디미르 그럴 리가!

에스트라공 혹시 새벽이 아닐까?

블라디미르 멍텅구리 같은 소리 말아. 그쪽은 서쪽이야.

에스트라공 네가 뭘 안다고?

포조 (걱정스럽게) 지금이 저녁이오?

블라디미르 하긴 해가 움직이질 않았으니까.

에스트라공 다시 솟아오른대도.

포조 왜 내 말엔 대답을 안 하오?

에스트라공 엉터리 대답을 하지 않으려고 그래요.

블라디미르 (안심시키듯이) 저녁때라오. 저녁때가 됐단 말이오. 이 친구가 자꾸 딴소리를 해서 나도 잠깐은 헷갈렸지. 하지만 난 오늘 이 긴 하루를 헛되게 보낸 건 아니오. 그래서 오늘의 일과도 이제 다 끝나간다는 걸 자신있게 말할 수 있는 거요. (사이)

그건 그렇고, 기분은 좀 어떻소?

에스트라공 언제까지 이자를 이렇게 짊어지고 있어야 하지? (그들은 포조를 반쯤 놓으려다가 또 넘어지려는 것을 보고 다시 붙잡는다.) 우리가 무슨 버팀목인가?

블라디미르 아까는 시력이 전엔 굉장히 좋았다고 하지 않았소?

포조 그렇소. 무척 좋았지.

침묵.

에스트라공 (짜증스럽게) 계속해요. 계속해!

블라디미르 가만히 좀 놔둬. 지금 지난날의 행복을 회상하고 있는 거라고. (사이) '사라진 그 옛날의 아름다운 추억이여!' 괴로울 거다!

포조 정말. 기가 막혔지.

블라디미르 그런데 갑자기 그렇게 됐어요?

포조 정말 기가 막혔다오!

블라디미르 그런데 갑자기 그렇게 됐느냐고 묻지 않소?

포조 어느 날 깨어 보니 캄캄하더란 말이오. 마치 운명처럼. (사이) 그래서 지금도 나는 혹시 내가 잠을 자고 있는 게 아닌가 의심이 들 때가 있다오.

블라디미르 그게 언제였소?

포조 모르겠소.

블라디미르 하지만 어제까지만 해도…….

포조 묻지 마시오. 장님에겐 시간 관념이 없는 법이오.

(사이) 그리고 시간과 관계되는 건 다 모른다오.

블라디미르 아니! 난 그 반대인 줄 알았는데…….

에스트라공 난 가겠다.

포조 여기가 어디오?

블라디미르 모르겠소.

포조 혹시 플랑슈[12]라는 곳이 아니오?

블라디미르 모르겠다니까.

포조 여기가 어떻게 생겼소?

블라디미르 (주위를 둘러보며) 뭐라고 설명할 수가 없어요. 어떻게 생겼다고 말할 수가 없다고요. 여긴 아무것도 없으니까. 나무 한 그루가 있을 뿐이오.

포조 그렇다면 플랑슈는 아니겠군.

에스트라공 (허리를 꺾으면서) 이것도 심심풀이라는 거냐?

포조 내 하인은 어디 있소?

블라디미르 여기 있소.

포조 그런데 왜 내가 부르는데 대답도 안 할까?

블라디미르 내가 알게 뭐요? 아마 자나 보오. 죽었는지도 모르고.

포조 그럼 무슨 일이 있었던 거요?

에스트라공 무슨 일이 있었냐니, 원!

블라디미르 당신들은 둘이 다 넘어졌어요.

---

12) planche, '판자'라는 뜻과 연극의 '무대'라는 뜻이 있다. '지금 이곳이 연극 무대가 아닌가'라는 의미로 해석할 수도 있다.

포조 그럼 그놈이 다치지나 않았나 가 봐 주구려.

블라디미르 당신 곁을 떠날 수가 없잖아요?

포조 둘이 다 갈 거야 없지 않소?

블라디미르 (에스트라공에게) 네가 가 봐.

포조 그렇지. 당신 친구보고 가 보라시오. 고약한 냄새가 나니까. (사이) 뭘 기다리고 있는 거요?

블라디미르 (에스트라공에게) 뭘 기다리는 거야?

에스트라공 고도를 기다리고 있는 거다.

블라디미르 이 친구가 어떻게 하면 될지 정확하게 얘기를 해 보시죠.

포조 우선 끈을 잡아끌라고 하시오. 물론 목은 조르지 않도록 조심을 해서 말이오. 그렇게 하면 무슨 반응이 있지. 그래도 반응이 없을 때는 아랫배건 얼굴이건 아무 데나 막 걷어차면 되오.

블라디미르 (에스트라공에게) 알았지? 겁낼 것 없다. 오히려 복수를 할 기회가 될지도 모른다.

에스트라공 그러다가 저놈이 덤벼들면?

포조 아니 절대로 덤벼들진 않소.

블라디미르 그럼 내가 달려가서 도와줄게.

에스트라공 나를 꼭 지켜보고 있어!

그는 럭키에게로 간다.

블라디미르 우선 죽지나 않았나 살펴보고. 죽었으면 때릴 것도 없으니까.

에스트라공 (럭키를 굽어보고) 숨은 쉬는데.

블라디미르 그럼 한 대 쳐 봐!

별안간 에스트라공이 흥분해서 으르렁대며 럭키에게 발길질을 한다. 그러다가 제 발을 다치자 앓는 소리를 내면서 절뚝절뚝 물러난다. 럭키가 정신을 차린다.

에스트라공 (한 발로 서서) 망할 자식!

에스트라공은 바닥에 주저앉아 구두를 벗으려다가 단념한다. 머리를 두 다리 사이에 박고 양팔로 이마를 고인 채 웅크린 자세.

포조 또 무슨 일이오?

블라디미르 친구가 다쳤다오.

포조 그럼 럭키는?

블라디미르 정말 그놈이오?

포조 뭐라고?

블라디미르 정말 럭키냔 말이오.

포조 무슨 말인지 모르겠소.

블라디미르 그리고 당신은 진짜 포조고?

포조 분명 나는 포조요.

블라디미르 어제의 그 포조란 말이오?

포조 어제라니?

블라디미르 우린 어제도 만났지 않소? (침묵.) 생각 안 나요?

포조 난 어제 누구를 만난 기억이 없소. 내일이 되면 또 오늘 누구를 만났다는 게 생각 안 날 것이오. 그러니 내게 뭘 물어본다는 건 쓸데없는 짓이오. 어쨌건 그런 얘긴 그만해 둡시다. 일어서!

블라디미르 어제는 당신이 저자를 팔려고 생 소뵈르에 데려간다고 하지 않았소? 그리고 우리한테 얘기도 해줬어요. 저자는 춤도 추고. 생각도 했고. 그때는 당신 눈이 잘 보였다고요.

포조 그렇다면 그렇다고 해둡시다. 이젠 날 놓아주시오. (블라디미르가 그에게서 떨어진다.) 일어서!

블라디미르 일어서는군.

럭키가 일어나서 짐을 든다.

포조 이젠 됐어.

블라디미르 이제 어디로 가시오?

포조 그런 건 생각해 보지도 않았소.

블라디미르 참 많이 변하셨구려!

럭키가 짐을 들고 포조의 앞에 와서 선다.

포조 채찍! (럭키가 짐을 내려놓고 채찍을 찾아 포조에게 준 다음 다시 짐을 든다.) 끈!

럭키가 짐을 내려놓고 끈 한쪽 끝을 포조의 손에 쥐여 준 다음 다시 짐을 든다.

블라디미르 그 트렁크 속엔 뭐가 들어 있소?

포조 모래요. (그는 끈을 잡아당긴다.) 앞으로!

럭키가 움직이기 시작. 포조는 그 뒤를 따른다.

블라디미르 아직은 가지 마시오.

포조 (발을 멈추며) 난 가겠소.

블라디미르 아무도 도와줄 수 없는 데서 가다가 넘어지면 어쩔려고?

포조 일어날 수 있을 때까지 기다려야겠지. 그리고 나서 다시 떠나는 거요.

블라디미르 떠나기 전에 저자한테 노래나 한 곡 부르게 하쇼.

포조 누구에게 말이오?

블라디미르 럭키 말이오.

포조 럭키에게 노래를?

블라디미르 그렇소. 아니면 생각을 하게 하든가. 낭독을 시켜도 좋고.

포조 저놈은 벙어리인걸.

블라디미르 벙어리라니?

포조 그렇다니까. 신음 소리 한마디 못 낸다오.

블라디미르 벙어리라! 언제부터요?

포조 (버럭 화를 내며) 그놈의 시간 얘기를 자꾸 꺼내서 사람을 괴롭히지 좀 말아요! 말끝마다 언제 언제 하고 물어대다니! 당신, 정신 나간 사람 아니야? 그냥 어느 날이라고만 하면 됐지. 여느 날과 같은 어느 날 저놈은 벙어리가 되고 난 장님이 된 거요. 그리고 어느 날엔가는 우리는 귀머거리가 될 테고. 어느 날 우리는 태어났고, 어느 날 우리는 죽을 거요. 어느 같은 날 같은 순간에 말이오. 그만하면 된 것 아니냔 말이오? (더욱 침착해지며) 여자들은 무덤 위에 걸터앉아 아이를 낳는 거지. 해가 잠깐 비추다간 곧 다시 밤이 오는 거요. (그는 끈을 잡아당긴다.) 앞으로!

두 사람은 퇴장한다.

블라디미르가 무대 끝까지 그들을 따라가서 그들이 사라지는 것을 지켜본다. 무엇인가 쓰러지는 소리가 나는데 블라디미르의 흉내로 그들이 다시 넘어진 것을 알 수 있다. 침묵. 블라디미르가 잠들어 있는 에스트라공 쪽으로 와서 잠시 그를 들여다보더니 그를 깨운다.

에스트라공 (질겁을 한 동작으로 횡설수설 중얼거리다가 마침내) 넌 왜 잠도 못 자게 하는 거야?

블라디미르 외로워서.

에스트라공 행복하게 된 꿈을 꾸고 있었는데.

블라디미르 그럼 시간이 잘 지나갔겠구나.

에스트라공 꿈에 말이다.

블라디미르 듣기 싫다! (사이) 그자가 진짜로 장님이 되었을까?

에스트라공 누가?

블라디미르 진짜 장님이면 시간 관념이 없다는 말을 할까?

에스트라공 누구 얘기야?

블라디미르 포조.

에스트라공 포조가 눈이 멀었대?

블라디미르 제 입으로 그렇다고 했잖아?

에스트라공 그런데?

블라디미르 내 보기엔 우리를 보고 있는 것 같았어.

에스트라공 너 꿈을 꾼 모양이구나. (사이) 그만 가자. 이젠 안 되겠다. 안 되고말고. (사이) 그 작자가 아닌 게 확실하냐?

블라디미르 누구?

에스트라공 고도 말이야.

블라디미르 누가 고도라는 거야?

에스트라공 포조 말이다.

블라디미르 아냐. 그건 아니다. (사이) 아니고말고.

에스트라공 어쨌든 이젠 일어나야지. (힘겹게 일어선다.) 아야!

블라디미르 이젠 무슨 생각을 해야 할지 모르겠구나.

에스트라공 내 발이! (다시 앉아서 구두를 벗으려 한다.) 좀 거들어 줘!

블라디미르 남들이 괴로워하는 동안에 나는 자고 있었을까?

지금도 나는 자고 있는 걸까? 내일 잠에서 깨어나면 오늘 일을 어떻게 말하게 될지? 내 친구 에스트라공과 함께 이 자리에서 밤이 올 때까지 고도를 기다렸다고 말하게 될까? 포조가 그의 짐꾼을 데리고 지나가다가 우리에게 얘기를 했다고 말하게 될까? 아마 그렇겠지. 하지만 이 모든 게 어느 정도나 사실일까? (에스트라공은 구두를 벗으려고 안간힘을 쓰지만 벗겨지지 않는다. 그는 다시 잠들어 버린다. 블라디미르가 그를 바라본다.) 저 친구는 아무것도 모르겠지. 다시 얻어맞은 얘기나 할 테고 내게서 당근이나 얻어먹겠지……. (사이) 여자들은 무덤 위에 걸터앉아 무서운 산고를 겪고 구덩이 밑에서는 일꾼이 꿈속에서처럼 곡괭이질을 하고. 사람들은 서서히 늙어가고 하늘은 우리의 외침으로 가득하구나. (귀를 기울인다.) 하지만 습관은 우리의 귀를 틀어막지. (에스트라공을 바라본다.) 나 역시 다른 사람들이 바라보고 있겠지. 그리고 말하겠지. 저 친구는 잠들어 있다. 아무것도 모른다. 자게 내버려 두자고. (사이) 이 이상은 버틸 수가 없구나. (사이) 내가 무슨 말을 지껄였지?

그는 부산스럽게 왔다 갔다 하더니 마침내 왼쪽 무대 출입구 가까이 가서는 먼 곳을 바라본다. 오른쪽에서 어제 왔던 소년이 들어온다. 걸음을 멈춘다. 침묵.

소년 아저씨…… (블라디미르가 돌아선다.) 알베르 아저씨는…….

블라디미르 다시 시작이로구나. (사이. 소년에게) 너 나 모르겠니?

소년 모르겠어요.

블라디미르 너 어제도 왔지?

소년 아니요.

블라디미르 그럼 처음 오는 거냐?

소년 네.

침묵.

블라디미르 고도 씨가 보낸 거지?

소년 네.

블라디미르 오늘 밤에는 못 오겠다는 얘기겠지?

소년 네.

블라디미르 하지만 내일은 온다는 거고?

소년 네.

블라디미르 내일은 틀림없겠지?

소년 네.

침묵.

블라디미르 오다가 누굴 만나지 않았니?

소년 아뇨.

블라디미르 두…… (망설이다가) 사람 말이다.

소년 아무도 못 봤어요.

침묵.

블라디미르 그래. 고도 씨는 뭘 하고 있냐? (사이) 내 말 듣고 있는 거냐?

소년 네.

블라디미르 그럼?

소년 아무것도 안 해요.

침묵.

블라디미르 너의 형은 잘 있냐?

소년 아파요.

블라디미르 그럼 어제 온 건 형이었나 보구나.

소년 모르겠어요.

블라디미르 수염이 있냐, 고도 씨는?

소년 네.

블라디미르 노란 수염이냐. 아니면…… (망설이다가) 까만 수염이냐?

소년 (망설인다.) ……흰 수염 같아요.

침묵.

블라디미르 하느님 맙소사!

침묵.

소년 고도 씨에게 가서 뭐라고 할까요?

블라디미르 가서 이렇게 말해라. (말을 중단.) ……나를 만났다고 말해라. (생각한다.) 그냥 나를 만났다고만 해. (사이. 블라디미르가 앞으로 나오자 소년은 물러선다. 블라디미르가 멈추니 소년도 멈춰선다.) 틀림없이 넌 나를 만난 거다. 내일이 되면 또 나를 만난 일이 없다는 소리는 안 하겠지?

침묵. 블라디미르가 별안간 앞으로 달려들려 하자 소년은 쏜살같이 달아난다. 침묵. 해가 지고 달이 떠오른다. 블라디미르는 그 자리에서 움직이지 않는다. 에스트라공이 잠에서 깨어나 구두를 벗고 일어선다. 손에 든 구두를 무대 전면에 갖다 놓고 블라디미르 쪽으로 가며 그를 바라본다.

에스트라공 무슨 일이 있었니?

블라디미르 아무 일도 아니다.

에스트라공 난 가겠다.

블라디미르 나도 가야지.

침묵.

에스트라공 내가 오래 잤니?

블라디미르 모르겠다.

침묵.

에스트라공 어디로 갈까?

블라디미르 멀리 갈 순 없지.

에스트라공 아냐, 아냐. 여기서 멀리 가버리자.

블라디미르 그럴 순 없다.

에스트라공 왜?

블라디미르 내일 다시 와야 할 테니까.

에스트라공 뭣하러 또 와?

블라디미르 고도를 기다리러.

에스트라공 참 그렇지. (사이) 안 왔냐?

블라디미르 안 왔다.

에스트라공 지금은 너무 늦었다.

블라디미르 그래 밤이 됐구나.

에스트라공 바람을 맞혀버릴까? (사이) 이쪽에서 바람을 맞혀버리는 게 어떻겠냐고?

블라디미르 우릴 벌할걸. (침묵. 나무를 바라본다.) 나무만이 살아 있구나.

에스트라공 (나무를 바라보며) 저게 뭐냐.

블라디미르　나무다.

에스트라공　아니, 무슨 나무냔 말이야.

블라디미르　모르겠다. 버드나무인 것 같다.

에스트라공　가까이 가 보자. (블라디미르를 끌고 나무 가까이로 간다. 나무 앞에서 움직이지 않는다. 침묵.) 목이나 맬까?

블라디미르　무얼로?

에스트라공　너 끈오라기라도 없냐?

블라디미르　없다.

에스트라공　그럼 할 수 없군.

블라디미르　가자.

에스트라공　잠깐만. 내 허리띠가 있다.

블라디미르　그건 너무 짧다.

에스트라공　네가 내 다리를 잡아당겨 주면 되잖아.

블라디미르　그럼 내 다리는 누가 잡아당겨 주게?

에스트라공　참 그렇구나.

블라디미르　어쨌든 어떻게 되는지 보기나 하자. (에스트라공이 바지에 매여 있던 끈을 푼다. 바지통이 너무 커서 발목까지 흘러내린다. 둘은 끈을 살펴본다.) 이걸로도 안 될 건 없겠다. 하지만 튼튼할까?

에스트라공　어디 보자. 잡아.

두 사람은 각기 한쪽 끝을 잡아당긴다. 끈이 끊어지는 바람에 그들은 넘어질 뻔한다.

블라디미르 아무짝에도 못 쓰겠구나.

침묵.

에스트라공 정말 내일 또 와야 하니?

블라디미르 그래.

에스트라공 그럼 내일은 튼튼한 끈을 가지고 오자.

블라디미르 그래.

에스트라공 디디.

블라디미르 왜?

에스트라공 이 지랄은 이제 더는 못 하겠다.

블라디미르 다들 하는 소리지.

에스트라공 우리 헤어지는 게 어떨까? 그게 나을지도 모른다.

블라디미르 내일 목이나 매자. (사이) 고도가 안 오면 말이야.

에스트라공 만일 온다면?

블라디미르 그럼 살게 되는 거지.

블라디미르가 모자를 벗는다. 럭키의 모자다. 그는 모자 안을 들여다보고 손을 넣어보고 흔들어본 다음 다시 쓴다.

에스트라공 그럼 갈까?

블라디미르 바지나 추켜올려.

에스트라공 뭐라고?

블라디미르 바지나 추켜올리라고.

에스트라공 바지를 벗으라고?

블라디미르 추─켜─올리라니까.

에스트라공 참 그렇구나.

그는 바지를 추켜올린다. 침묵.

블라디미르 그럼 갈까?

에스트라공 가자.

둘은 그러나 움직이지 않는다.

작품 해설

베케트의 '유쾌한 허무주의'와 『고도를 기다리며』

사뮈엘 베케트와 『고도를 기다리며』

사뮈엘 베케트가 문학과 연극계에서 차지하는 위치는 그의 삶만큼이나 매우 특이하다. 그는 아일랜드인으로 영어, 프랑스어로 번갈아 가며 작품을 쓰면서 자신의 작품들을 영어에서 프랑스어로, 프랑스어에서 영어로 직접 번역했다. 또한 조이스, 랭보, 아폴리네르, 엘뤼아르 등의 작품들을 혼자서 또는 공동으로 번역하기도 했다. 이처럼 두 가지 언어로 작품 활동을 한 것은 그의 뛰어난 언어 능력에서 비롯한 것이지만 그는 그 이유를 "모국어보다 습득해서 배운 언어가 스타일 없이 쓸 수 있어 쉽기 때문"이라고 말했다.

이 말은 그의 작품 세계와 관련하여 중요한 의미를 갖는다. 즉 그는 작중인물들이 구사하는 말들이 국경과 특정 언어의 뉘앙스를 뛰어넘어 "그 누구도 아닌 사람들의" 이야기이기를 의도하고 있는 것이다. 모국어란 그 말을 쓰는 인간과 합치되어 너무나 친근하면서도 동시에 알 수 없는 말이다. 그러므로 그는 타국어로 쓰거나 번역하는 가운데 모국어의 고정된 첫 번째 의미에서 벗어나 언어의 정수에 도달할 수 있는 이야기가 가능하게 된다고 생각한다.

베케트에게 있어서 말은 그 누구도 아닌 모든 인간의 존재를 지탱하는 도구이자 존재의 핵심이다. 그는 『고도를 기다리며』를 처음에는 프랑스어로 쓰고 뒤이어 영어로 다시 쓴다. 두 텍스트 사이에는 고유명사와 표현 등에 약간의 차이가 있다. 여기 번역된 『고도를 기다리며』는 프랑스어 판인데 이 작품에서 우리는 작가가 지향하는 연극 세계를 가장 포괄적으로 이해하게 된다.

『고도를 기다리며』(이하 『고도』)가 출판된 것은 1952년, 베케트의 나이 47세 때였다. 그때까지 그는 일부 지식인들을 제외하고는 일반인에게 거의 알려지지 않은 작가였다. 그때 이미 그는 소설 3부작(『몰로이』, 『말론 죽다』, 『이름 붙일 수 없는 것』)을 발표한 상태였지만 작품이 지나치게 독창적인 데다가 사생활 역시 극히 폐쇄적이었기 때문에 베일 속의 인물이었을 뿐이다.(이 점은 1969년 노벨상을 수상했을 때 시상식에 나타나지 않고 일체의 인터뷰를 거절한 채 생을 마감하기까지 일관된 그의 생활 자세에서도 드러난다.)

연구자들에 의해 밝혀진 베케트의 생애를 살펴보면 그의 의식과 폐쇄적인 삶의 환경은 그의 모든 작품과 깊은 연관을 맺고 있다. 그가 거처하던 집, 지방, 심지어는 생활 도구, 자전

거, 쓰레기통까지도 작품의 무대와 소도구에 그대로 표출되고 있다.

베케트는 1906년 4월 13일 더블린 근교 폭스로크의 유복한 신교도 가정에서 태어났다. 나는 1990년 더블린 연극제 때 그의 생가를 방문한 적이 있는데 숲과 낮은 언덕 사이에 자리 잡은 그 집은 바닷바람에 흔들리는 나뭇잎 소리만이 스쳐 가는 고적한 곳으로 그의 소설 『와트』에 등장한다. 안내자의 설명에 의하면 『고도』의 무대가 되었던 지역은 그곳으로부터 꽤 멀리 떨어진 황량한 언덕으로 추정된다. 그 언덕은 바다에 둘러싸인, 아일랜드 어느 곳에서나 흔히 볼 수 있는 "그 어느 곳도 아닌 황량한 언덕"이라고 한다.

엄격한 청교도 가정과 적막한 환경 속에서 유년시절을 보낸 그는 초등학교 때부터 프랑스어를 익혀 1923년에는 더블린의 트리니티 대학에서 프랑스 문학을 전공한다. 당시 그는 학업뿐 아니라 크리켓, 수영, 럭비, 권투 등 스포츠에도 열중한다. 『고도』에서 럭키의 긴 대사 속에 스포츠 용어가 많이 나오는 것은 그의 스포츠 활동과 무관하지 않으리라는 의견이 지배적이다.

1927년 트리니티 대학에서 프랑스어와 이탈리아어 학사 학위를 취득한 베케트는 곧 파리의 고등사범학교의 영어 강사로 부임한다. 그리고 1930년 그의 첫 시집 『호로스코프』가 출간된다. 1931년 다시 더블린으로 돌아온 베케트는 모교인 트리니티 대학에서 「프루스트론(論)」을 발표하고 대학 교수가 되지만 1년 만에 대학 강의에 회의를 느껴 학교를 사직하고 1933년

아버지의 죽음으로 유산을 상속 받자 유럽의 여러 지방으로 여행길에 오른다. 그때부터 방랑자와 같은 고독한 생활이 이어진다. 그가 파리에 정착한 것은 그로부터 4년 뒤인 1937년. 거기에서 그는 본격 작품 활동을 시작한다.

1939년 2차 세계대전이 발발하자 그는 중립국 국민이라는 안전한 신분을 이용해 프랑스 친구들의 레지스탕스 운동을 돕는 한편 비점령 지역인 남프랑스 보클뤼즈의 농가에 피신해 작품 집필을 계속한다. 그때 쓴 작품이 그의 두 번째 소설 『와트』였으며, 당시의 피신 생활 경험은 『고도』의 밑그림이 된다. 그는 보클뤼즈에 숨어 살며 전쟁이 끝나기를 기다리던 자신의 상황을 인간의 삶 속에 내재된 보편적인 기다림으로 작품화한 것이다. 그 시기에 쓴 작품 중에는 그의 첫 번째 희곡 『엘레우테리아』가 있으나 무대예술을 향한 그의 첫 시도는 끝내 실현되지 못한다. 따라서 그가 문학계와 연극계의 본격적인 관심을 받게된 것은 1953년 「고도」의 공연 때부터다.

공연은 대성공이었다. 파리에서만도 300회 이상의 장기 공연을 기록했고 이어서 세계 50여 개 나라에 번역되어 공연되면서 연극계에 혁신적인 충격을 가져왔다. 영국의 연극학자 마틴 에슬린이 「고도」를 부조리 연극이라고 지칭함으로써 이 특이한 연극은 반연극 또는 '부조리극'이라는 새로운 연극 운동의 방향을 제시하게 된다.

그의 글쓰기는 지칠 줄 모르고 계속된다. 그는 자신의 작품들을 영어와 프랑스어로 번갈아 번역 출간하면서 후기에는 작품 연출에까지 직접 참여하는 등 생애 마지막까지 실험적인 창작 활동을 그치지 않는다.

역사적인 초연의 전후

「고도」는 1953년 1월 5일 파리의 바빌론 소극장에서 초연된다. 이 작품이 파리 연극계의 주목을 받게 되자 극히 일부의 지식인들과 평론가들 사이에만 알려져 있던 베케트는 갑자기 저명인사가 된다. 공연의 성공은 가히 역사적 사건이 된다.

초연 때 럭키 역을 맡아 호평을 받았던 장 마르탱은 당시를 이렇게 회고한다. "베케트는 연습 때마다 나타났죠. 그는 아무 말도 하지 않았어요. 블랭(연출자이며 포조 역을 연기함)을 완전히 신뢰했으니까요……. 그런데 그는 정작 상연이 되었을 때는 나타나지 않았죠……. 막이 오르자 아주 빠르게 대단한 반향이 일어났죠. 모두들 「고도」를 보아야만 했어요. 온통 화제가 되었죠. 객석은 연일 만원이었고……. 우리도 처음에는 그 공연이 역사적 사건이라는 느낌은 갖지 못했어요……. 블랭은 아무 설명도 하지 않았으니까요." 배우들 스스로도 자신들이 공연하는 작품에 대한 평가를 그때까지 내리지 못했다는 것이 그들의 솔직한 고백이었다.

사실 처음에 수잔 베케트(베케트의 부인)가 그의 첫 희곡 『엘레우테리아』와 『고도』를 로제 블랭에게 가져왔을 때는 이미 많은 연출가들이 읽은 뒤였는데, 그들은 그 작품이 그리 대단하다고는 생각하지 않았다. 당시에 성공을 거둔 작품들은 한결같이 통속극이었고 베케트의 작품은 당시의 성공작들과는 너무나 동떨어져 있었기 때문이다.

바빌론 극장은 재정 문제로 문을 닫을 위기에 처해 있어서 블랭에게 마지막 기대를 걸고 있는 상태였다. 그런 어려운 여건 속에서 막을 올린 「고도」는 기껏해야 삼 주에서 한 달 동안 공연될 계획이었다. 그런데 아누이가 《피가로》지에 "광대들에 의해 공연된 파스칼의 명상록"이라는 평을 쓰자 관객들이 몰려들기 시작했다. 베케트 자신도 놀랐다고 한다.

예상을 뒤엎고 「고도」는 오랫동안 상연되었다. 작품의 내용과 형식이 매우 새로워 관객들은 충격 속에서 그 의미를 파악하려고 애썼으며 신문과 방송은 작가와의 인터뷰를 통하여 그 해답을 찾으려 했지만 허사였다. 미국에서의 초연 때 연출자 알랭 슈나이더가 베케트에게 고도가 누구이며 무엇을 의미하느냐고 묻자 베케트는 "내가 그걸 알았더라면 작품 속에 썼을 것"이라고 대답했다는 이야기는 유명한 일화로 남아 있다.

작가 자신이 그와 같은 대답을 한 이상 관객들 사이에서 물음은 끊이지 않았고, 그 해답 역시 물음만큼이나 무수히 쏟아져 나왔다. 고도는 신이다, 자유다, 빵이다, 희망이다……. 고도(Godot)가 영어와 프랑스어로 '신'을 뜻하는 'God'와 'Dieu'의 합성어라는 해석도 있다. 어쨌건 고도에 대한 정의는 구원을 갈망하는 관객 각자에게 맡겨진 셈이다.

『고도』가 우리에게 보여주는 것

기다림

연극은 어느 한적한 시골길, 한 그루의 앙상한 나무만이 서 있는 언덕 밑에서 블라디미르와 에스트라공이라는 두 방랑자가 고도라는 인물이 나타나기를 기다리는 것으로부터 시작된다. 그들의 기다림은 어제오늘에 시작된 것이 아니다. 그들 자신도 헤아릴 길이 없는 아주 오래전부터 기다림이 시작된 듯하다. 그래서 지금(무대 위의 현재)은 고도라는 인물이 딱히 누구인지 기다림의 장소와 시간이 확실한지조차 분명치가 않다. 이제는 습관이 되어버린, 지루한 기다림의 시간을 죽이기 위해 지칠 대로 지쳐 있는 그들은 온갖 노력을 다해 본다. 기다림을 포기하지 않기 위하여, 여전히 살아 있음을 실감하기 위하여 그들이 할 수 있는 일은 말을 하는 것이다. 서로 질문하기, 되받기, 욕하기, 운동하기, 장난과 춤추기…….

지루함과 초조, 낭패감을 극복하기 위해 끝없이 지껄이는 그들의 광대놀음, 그 모든 노력은 고도가 오면 기다림이 끝난다는 희망 속에 이루어진다. 그러나 하루해가 다 지날 무렵, 그들의 기다림에 한계가 왔을 때 나타난 것은 고도가 아니라 고도의 전갈을 알리는 소년이다. 고도가 오늘 밤에는 오지 못하며 내일은 꼭 오겠다고 했다는 전갈만을 남기고 소년이 사라지면서 1막이 끝난다. 그리고 2막의 그다음 날도 거의 같은 상황이 되풀이된다.

줄거리도 극적인 사건도 없는 이 너무나도 단순하고 기이한 무대에 관객들은 당황하면서도 배우들의 황당한 대사와 동작을 통해 시종 신선한 즐거움을 경험한다. 고도가 누구인지 그가 과연 언제 나타날는지는 관극 후에 생각할 문제다. 그러나 우리는 예감한다. 기다림으로 시작되는 1막이 다시 2막의 기다림으로 끝나는 이 무대는 어쩌면 3막이 있다 해도 기다림의 상황은 다시 이어질 거라고, 막이 아무리 길게 이어져도 고도는 나타나지 않으리라는 것을……. 그럼에도 불구하고 무대의 시작부터 끝까지, 아니 연극이 끝난 뒤에도 고도라는 인물만은 의식에서 지워버릴 수가 없다. 무대를 가득 채우고 있는 고도의 부재(不在)의 현존(現存)을.

무대

『고도』 1막의 무대 설명은 '시골길, 나무 한 그루가 서 있다.' 이고, 2막은 '다음 날. 같은 시간. 같은 장소'가 전부다.

무대 위의 시골길은 메마르고 황량하다. 앙상한 나무 한 그루가 그 황량함을 더해주고 있다. 시간은 아직 날이 저물기 전의 늦은 오후로 짐작된다. 여느 날과 같은 어느 한때일 뿐이다. 한 그루의 나무 역시 무슨 나무인지 확실하지 않다. 어떤 무대에서는 옷걸이처럼 앙상한 모습으로, 혹은 자코메티의 조각과 같은 철사형으로……. 서구에서는 대체로 십자가 모양의 형상을 한 나무를 주로 세웠다고 하는데 극에 종교적 구원의 의미를 부여하려 했던 연출자의 해석에서 비롯된 것이리라 짐작된다.

그 형상이야 뭐가 됐건 한 그루의 나무는 수수께끼의 존재로 그곳에 있을 뿐이다. 등장인물들은 수시로 나무의 존재를 실감하지만 나무는 그들에게 실질적으로 아무런 도움도 주지 못한다. 숨으려 했을 때 몸을 숨길 수도 없고 목을 매려 할 때도 별 소용이 없다. 아무짝에도 쓸모없는 한 그루의 나무에 매달리다 포기하는 어릿광대들의 실패와 좌절이 관객들에게는 비애감과 함께 웃음을 유발한다.

밤이 되어 축 처진 인물들이 절망하면서도 다음 날 다시 오기 위해서는 멀리 가버릴 수도 없는 그 장소는 그 어느 곳도 아닌 불확실한 장소다. 베케트의 무대는 이처럼 불모의 세계다. 사막, 진흙 구덩이, 세 개의 항아리, 잡동사니 언덕, 수용소, 어둠 속의 모호한 공간 등이 베케트의 주무대가 된다.

인물들

아무 일도 일어나지 않고 아무도 지나가지 않는 시골길에서 누군지도 모르며 언제 나타날지도 모르는 고도를 기다려야 하는 상황. 그 기다림의 주체인 두 인물 역시 그 누구도 아닌 그저 그렇게 살아온 몰개성적인 늙은 방랑자들이다. 그들은 기억력이 쇠하고 판단력 또한 흐려져 만날 장소와 시간조차 수시로 헷갈린다. 모든 것이 불투명하고 혼란스럽다. 단 한 가지 분명하게 일치되는 인식은 '고도'를 기다려야 한다는 사실이다. 두 사람은 '이 모든 혼돈 속에서도 단 하나 확실한 게 있다면 그건 고도를 기다려야 한다는 것'이라는 인식을 서로에게 일깨우며 확인한다.

에스트라공 그만 가자.

블라디미르 가면 안 되지.

에스트라공 왜?

블라디미르 고도를 기다려야지.

에스트라공 참 그렇지.

두 사람의 이 대사는 전편을 통해 마치 교향곡에서처럼 하나의 모티프가 되어 간헐적으로 기다림에 이유와 활기를 부여한다. 그래서 기다림은 다시 이어진다. 기다리면서 그들은 무엇을 할 수 있을까?

그들이 할 수 있는 것은 말이다. 말은 동작을 유발하고 살아 있음을 증명한다. 그리고 그것이 말해질 때 비로소 구원이 된다. 이 혼돈과 불모의 세계에서 나날이 함몰되어 가는 상실감을 극복하기 위해서, 기다림을 죽이기 위해서 그들은 끊임없이 말한다. 생각함으로써 존재하는 것이 아니라 말함으로써 존재한다.

그들은 기다림에서 오는 고통과 절망을 자살로 해결하지는 않는다. 목을 맬 수 있는 나무가 눈앞에 있는데도 그들은 시도하지 않는다. 다시 지껄임으로써 기다림을 유지하고 내일을 기약한다. 두 어릿광대는 서로를 독려한다. '우린 늘 이렇게 뭔가를 찾아내는 거야. 그래서 살아 있다는 걸 실감하게 되는구나.' '무슨 말이든 해보라니까!' '지금 찾고 있는 중이다.' '기다리면서 뭘 하지?' '장난을 하니까 시간이 빨리 가는구나!'

그들 앞을 지나가는 낯선 두 나그네도 말을 함으로써 자신들의 존재를 과시한다. 포조는 사사건건 자신의 이야기를 모두가 경청할 것을 강요하며, 팔려 가는 늙은 노예 럭키도 갑작스러운 장광설로 자신의 존재를 선언한다. 쉼표도 없이 3페이지나 이어지는 그 기상천외한 사고의 발설은 외부의 힘에 의해서 비로소 중단된다.

블라디미르와 에스트라공은 상대방을 향한 화자이자 배우이며 포조와 럭키가 등장했을 때는 연출자이자 관객이다. 그들은 이야기를 만들어내며 상대방에게서 이야기를 도발하고 듣고 교환한다. 이야기는 그들에게 삶의 도구이며 위안이다. 나아가 살아 있음을 확인해 주며 그 끝은 죽음이다.

베케트의 연극

베케트의 연극을 부조리 연극이라고 최초로 이름 붙인 마틴 에슬린은 베케트를 "유쾌한 허무주의자"라고 일컫는다.

베케트의 연극에는 작품의 내용을 이해하건 못 하건 간에 비극적인 어두움이 짙게 깔려 있음을 누구나 느낀다. 실제로 그는 "삶을 지배하는 것은 고통"이라고 말한다. 그러므로 데카르트보다 한 발 더 나아가서 '나는 고통받고 있으므로 존재하는 것'이라고 생각하는 것이다. 그 고통은 자신만의 것이 아니라 타인의 고통, 즉 인간의 고통을 말한다. 그가 말년에 쓴 『파국』을 전체주의에 대항했던 전 체코 대통령이며 극작가인 하벨에게 헌정한 것을 보아도 그는 자신이 체험한 나치의 폭력뿐 아니라 그 후로 수많은 역사적 사건 속에서도 공포와 고통을 함께 경험하고 있음을 알 수 있다.

그의 작중인물들은 안락한 행복을 누리지 못한다. 『고도』의 인물들이 그렇고, 전쟁 중에 쓴 『와트』와 『머피』의 인물들은 정신병원에 수용되어 있기까지 하다. 그들에게는 돈도 젊음도 건강도 결여되어 있다. 부랑자, 노인, 신체 장애인, 약자, 소외된 인물 등. 그는 그들이 겪는 치명적인 몰락과 고통을 통해서 데카르트적인 인간 존재의 인식에 접근하는 것이다. 빈곤과 궁핍, 고통은 인간 존재의 핵심에 다가가기 위해 베케트가 장치해 놓은 글쓰기의 통로다. 그는 자신의 목소리를 초라하고 황폐해진 그들에게 불어넣는다. 자신을 주장할 수 없는 사람들, 신의 은총을 찾아 방황하는 사람들, 구원의 손길이 좀처럼 나타나지 않아 지치고 피폐해진 사람들에게 자신의 목소리를 빌려준다. 그는 『고도』에서 어릿광대들을 통해 이 냉혹하고 무질서한 혼돈의 세계를 참을성 있게 견디도록 한다. 그들은 자신들이 겪는 고통의 이유도 모른 채 기다림과 싸운다. 그래서 그들의 짓거리는 논리도 줄거리도 없이 지리멸렬하다. 그 지리멸렬한 대사와 동작에 관객들은 웃는다.

아이로니컬하게도 인물들의 무기력과 궁핍, 무의미가 우리를 웃게 한다. 아무것도 아닌 것에 매달리고 영향받는 인물들, 구두 하나 벗는 데도 끙끙대야 한다든지 주머니 속에 때 묻은 순무 한 토막을 넣고 다니는 것, 포조의 과장된 허풍, 아무것도 아닌 것에 대한 우월감, 팔려 가는 늙은 노예의 갑작스러운 장광설, 시간이라고는 알 수 없는 곳에서 시계를 잃어버린 사건, 이 모든 하찮은 것들에 매달리면서 싸우는 배우들의 동작이 비애와 함께 웃음을 자아내는 것이다.

이 독특한 웃음은 베케트의 작품 속에서 중요한 의미가 있는 유머의 역할을 담당한다. 그의 비극은 농담으로 끝나는 것처럼 보인다. 그러므로 베케트의 작품들은 역설적으로 희극 속의 비극이라는 쪽이 더 타당할지도 모른다. 마틴 에슬린이 말하는 그의 "유쾌한 허무주의"가 비극 속의 희극을, 동시에 희극 속의 비극을 만들어내는 것이다.

『고도』에서 전개된 주제는 오랫동안 베케트의 작품 세계의 근간이 된다. 그러나 그의 후기 작품들에서는 점점 더 어둠, 침묵, 부재 등을 부각시키기 위한 빛, 소리, 극히 세부적인 상황들이 펼쳐져 상연이 어려워진다. 「연극」, 「왔다 갔다」, 「승부의 끝」 등의 실험적인 무대에 이어, 말년에 발표된 미니드라마 「자장가」, 「오하이오 즉흥곡」, 「어디서 무엇을」, 「파국」 등에서는 그의 실험성이 더욱 두드러져 많은 연출가들이 상연을 포기하게 된다.

이들 작품에서 베케트는 인간의 존재를 극히 가늘고 작은 것으로 축소시켜 시간이 지나면서 먼지가 앉는 모습을 보여준다. 그는 그와 같은 실험을 통해 인간의 존재를 아무것도 아닌 것으로 축소시킬 수 없음을, 그 어떤 허약한 인간도 완전히 침묵시킬 수 없음을 증명하려 한다. 그의 후기 작품들과 비교할 때 『고도』는 더 이상 전위극이나 실험극이 아니다. 현대를 사는 우리 모두가 이해하고 동의하는 현대의 고전이다.

2000년 11월 오증자

작가 연보

1906년 4월 13일 아일랜드의 더블린 근교 폭스로크에서 부유한 신교도 가정의 차남으로 태어났다. 1915년 프랑스인이 교장인 초등학교에 입학. 프랑스어를 배우기 시작했다.

1919년 오스카 와일드의 모교이기도 한 포트라 로열스쿨에 입학. 최우수 학생으로 학업은 물론 크리켓, 수영, 럭비 등의 스포츠에도 뛰어난 재능을 보였다.

1923년 더블린의 트리니티 칼리지에 입학. 프랑스어와 이탈리아어 전공.

1927년 트리니티 칼리지 수석 졸업. 파리의 고등사범학교 영어 교사로 부임. 2년 동안 영어를 가르치며, 그 시기에 제임스 조이스의 서클에 합류하여 교류가 시작되었다.

1930년 첫 시집 『호로스코프(Whoroscope)』 출간.

1931년 더블린으로 돌아와 모교에서 「프루스트론」을 발표하고 대학 강단에 섰다.

1932년 교단을 떠나는 한편 랭보의 「취한 배」 등의 번역 작업에 몰입했다.

1933년 부친의 사망과 자신의 건강 이상으로 여행과 집필에만 전념했다.

1937년 파리 몽파르나스 근처에 거주.

1938년 최초의 소설 『머피(Murphy)』가 런던에서 출간되었다.

1939년 2차 세계대전 중 프랑스에서 친구들과 레지스탕스 운동에 참여. 그로부터 1950년대까지 왕성한 집필 활동이 이어졌다.

1942년 나치를 피해 남프랑스 보클뤼즈의 농가에 피신하여 『와트(Watt)』 집필.

1946년 「첫사랑(Premier Amour)」, 「진정제(Le Calmant)」 등의 단편들을 영어와 프랑스어로 집필했다.

1948년 『고도를 기다리며』 집필 시작.

1951년 소설 『몰로이(Molloy)』 출간.

1952년 프랑스어판 『고도를 기다리며』가 파리의 미뉘 사에서 출간되었다.

1953년 1월 5일 몽파르나스 바빌론 소극장에서 「고도를 기다리며」 초연. 이어서 10월에는 더블린에서 공연되었다. 한편으로 소설 『이름 붙일 수 없는 것(L'Innommable)』, 『와트』 출간.

1957년 「승부의 끝(Fin de partie)」, 「말없는 행위(Acte sans Paroles)」 동시 초연.

1958년 영어로 『크라프의 마지막 테이프(Krapp's Last Tape)』 발표.

1961년 『오 행복한 나날(Oh les beaux jours)』을 영어로 쓰고 이어서 프랑스어로 번역했다.

1963년 「연극(La Comédie)」 독일에서 초연. 이어서 1966년에는 파리에서 책으로 출간되었다.

1965년 『왔다 갔다(Va-et-vient)』를 영어로 집필 후 프랑스어로 번역. 1966년 출간. 1967년에는 런던에서 영어로 출간. 『죽은 상상력을 상상하라(Imagination morte imaginez)』를 프랑스어로 집필 후 영어로 번역했다.

1966년 파리의 오데옹 극장에서 「왔다 갔다」 상연. BBC에서 「베케트의 시」 방영.

1969년 건강 악화로 튀니지에서 정양 중 노벨문학상 수상 소식을 듣게 되었다. 수상식 참가를 비롯하여 일체의 인터뷰를 거부했다.

1970년 소설 『메르시에와 카미에(Mercier et Camier)』 프랑스어로 출간.

1971년 베를린에 가서 「오 행복한 나날」 연출.

1973년 로열코트시어터에서 「내가 아니야(Not I)」를 연출한 다음 프랑스어로 번역. 『첫사랑』 영역.

1976년 베케트 70세 생일을 맞아 런던에서 사뮈엘 베케트 시즌이 개최되어 여러 편의 작품이 상연되었다. 한편 단편소설집 『다시 끝내기 위하여(Pour finir encore)』 출간 했다.

1977년 BBC 텔레비전 연극 「유령 트리오(Ghost Trio)」 방영.

1978년 「승부의 끝」, 「연극」, 「유령 트리오」를 프랑스와 독일에서 연출했다.

1980년 미국 오하이오 대학에서 국제회의를 위한 작품 의뢰로 「오하이오 즉흥곡(Ohio Impromptu)」 집필.

1982년 소련 독재 체제에 항거하다 투옥된 전 체코 대통령 하벨에게 프랑스어 판 『파국(Catastrophe)』을 집필, 헌정했다.

1983년 쥐트도이치 방송에서 베케트 연출로 「밤과 꿈(Nacht und Träume)」 첫 방영, 시청자 200만 명 기록.

1985년 마드리드와 예루살렘에서 베케트 페스티벌 개최.

1989년 7월 부인 수잔 사망. 5개월 후 12월 22일 베케트 사망. 두 사람의 유해는 파리 몽파르나스 묘지에 묻혔다.

세계문학전집 43

고도를 기다리며

1판 1쇄 펴냄 2000년 11월 20일
1판 89쇄 펴냄 2024년 9월 20일

지은이 사뮈엘 베케트
옮긴이 오증자
발행인 박근섭, 박상준
펴낸곳 (주)민음사

출판등록 1966. 5. 19. (제 16-490호)
서울특별시 강남구 도산대로1길 62(신사동) 강남출판문화센터 5층 (우편번호 06027)
대표전화 02-515-2000 팩시밀리 02-515-2007
www.minumsa.com

ISBN 978-89-374-6043-2 04800
ISBN 978-89-374-6000-5 (세트)

* 잘못 만들어진 책은 구입처에서 교환해 드립니다.

세계문학전집 목록

1·2 **변신 이야기** 오비디우스·이윤기 옮김 서울대 권장도서 100선
3 **햄릿** 셰익스피어·최종철 옮김 서울대 권장도서 100선 | 미국대학위원회 선정 SAT 추천도서
4 **변신·시골의사** 카프카·전영애 옮김 서울대 권장도서 100선
5 **동물농장** 오웰·도정일 옮김 미국대학위원회 선정 SAT 추천도서 | 《타임》 선정 현대 100대 영문소설
6 **허클베리 핀의 모험** 트웨인·김욱동 옮김 《뉴스위크》 선정 100대 명저
7 **암흑의 핵심** 콘래드·이상옥 옮김 미국대학위원회 선정 SAT 추천도서 | 《뉴스위크》 선정 10대 명저
8 **토니오 크뢰거·트리스탄·베네치아에서의 죽음** 토마스 만·안삼환 외 옮김 노벨 문학상 수상 작가
9 **문학이란 무엇인가** 사르트르·정명환 옮김
10 **한국단편문학선 1** 김동인 외·이남호 엮음 국립중앙도서관 선정 청소년 권장도서
11·12 **인간의 굴레에서** 서머싯 몸·송무 옮김
13 **이반 데니소비치, 수용소의 하루** 솔제니친·이영의 옮김 노벨 문학상 수상 작가
14 **너새니얼 호손 단편선** 호손·천승걸 옮김
15 **나의 미카엘** 오즈·최창모 옮김
16·17 **중국신화전설** 위앤커·전인초, 김선자 옮김
18 **고리오 영감** 발자크·박영근 옮김
19 **파리대왕** 골딩·유종호 옮김 노벨 문학상 수상 작가 | 《타임》 선정 현대 100대 영문소설
20 **한국단편문학선 2** 김동리 외·이남호 엮음
21·22 **파우스트** 괴테·정서웅 옮김 서울대 권장도서 100선 | 미국대학위원회 선정 SAT 추천도서
23·24 **빌헬름 마이스터의 수업시대** 괴테·안삼환 옮김
25 **젊은 베르테르의 슬픔** 괴테·박찬기 옮김 논술 및 수능에 출제된 책(1998~2005)
26 **이피게니에·스텔라** 괴테·박찬기 외 옮김
27 **다섯째 아이** 레싱·정덕애 옮김 노벨 문학상 수상 작가
28 **삶의 한가운데** 린저·박찬일 옮김
29 **농담** 쿤데라·방미경 옮김
30 **야성의 부름** 런던·권택영 옮김
31 **아메리칸** 제임스·최경도 옮김
32·33 **양철북** 그라스·장희창 옮김 노벨 문학상 수상 작가 | 서울대 권장도서 100선
34·35 **백년의 고독** 마르케스·조구호 옮김 노벨 문학상 수상 작가 | 서울대 권장도서 100선
36 **마담 보바리** 플로베르·김화영 옮김 서울대 권장도서 100선
37 **거미여인의 키스** 푸익·송병선 옮김
38 **달과 6펜스** 서머싯 몸·송무 옮김
39 **폴란드의 풍차** 지오노·박인철 옮김
40·41 **독일어 시간** 렌츠·정서웅 옮김
42 **말테의 수기** 릴케·문현미 옮김
43 **고도를 기다리며** 베케트·오증자 옮김 노벨 문학상 수상 작가 | 서울대 권장도서 100선
44 **데미안** 헤세·전영애 옮김 노벨 문학상 수상 작가
45 **젊은 예술가의 초상** 조이스·이상옥 옮김 서울대 권장도서 100선
46 **카탈로니아 찬가** 오웰·정영목 옮김
47 **호밀밭의 파수꾼** 샐린저·정영목 옮김 《타임》 선정 현대 100대 영문소설 | 미국대학위원회 선정 SAT 추천도서 | 《뉴스위크》 선정 100대 명저 | BBC 선정 꼭 읽어야 할 책
48·49 **파르마의 수도원** 스탕달·원윤수, 임미경 옮김
50 **수레바퀴 아래서** 헤세·김이섭 옮김 노벨 문학상 수상 작가 | 국립중앙도서관 선정 청소년 권장도서

51·52 **내 이름은 빨강** 파묵 · 이난아 옮김 노벨 문학상 수상 작가
53 **오셀로** 셰익스피어 · 최종철 옮김 서울대 권장도서 100선
54 **조서** 르 클레지오 · 김윤진 옮김 노벨 문학상 수상 작가
55 **모래의 여자** 아베 코보 · 김난주 옮김
56·57 **부덴브로크 가의 사람들** 토마스 만 · 홍성광 옮김 노벨 문학상 수상 작가
58 **싯다르타** 헤세 · 박병덕 옮김 노벨 문학상 수상 작가
59·60 **아들과 연인** 로렌스 · 정상준 옮김 《뉴스위크》 선정 100대 명저
61 **설국** 가와바타 야스나리 · 유숙자 옮김 노벨 문학상 수상 작가 | 서울대 권장도서 100선
62 **벨킨 이야기 · 스페이드 여왕** 푸슈킨 · 최선 옮김
63·64 **넙치** 그라스 · 김재혁 옮김 노벨 문학상 수상 작가
65 **소망 없는 불행** 한트케 · 윤용호 옮김 노벨 문학상 수상 작가
66 **나르치스와 골드문트** 헤세 · 임홍배 옮김 노벨 문학상 수상 작가
67 **황야의 이리** 헤세 · 김누리 옮김 노벨 문학상 수상 작가
68 **페테르부르크 이야기** 고골 · 조주관 옮김
69 **밤으로의 긴 여로** 오닐 · 민승남 옮김 노벨 문학상 수상 작가 | 미국대학위원회 선정 SAT 추천도서
70 **체호프 단편선** 체호프 · 박현섭 옮김
71 **버스 정류장** 가오싱젠 · 오수경 옮김 노벨 문학상 수상 작가
72 **구운몽** 김만중 · 송성욱 옮김 서울대 권장도서 100선 | 국립중앙도서관 선정 청소년 권장도서
73 **대머리 여가수** 이오네스코 · 오세곤 옮김
74 **이솝 우화집** 이솝 · 유종호 옮김 논술 및 수능에 출제된 책(1998~2005)
75 **위대한 개츠비** 피츠제럴드 · 김욱동 옮김 《타임》 선정 현대 100대 영문소설
76 **푸른 꽃** 노발리스 · 김재혁 옮김
77 **1984** 오웰 · 정회성 옮김 《타임》 선정 현대 100대 영문소설 | 《뉴스위크》 선정 100대 명저
78·79 **영혼의 집** 아옌데 · 권미선 옮김
80 **첫사랑** 투르게네프 · 이항재 옮김
81 **내가 죽어 누워 있을 때** 포크너 · 김명주 옮김 노벨 문학상 수상 작가
82 **런던 스케치** 레싱 · 서숙 옮김 노벨 문학상 수상 작가
83 **팡세** 파스칼 · 이환 옮김
84 **질투** 로브그리예 · 박이문, 박희원 옮김
85·86 **채털리 부인의 연인** 로렌스 · 이인규 옮김
87 **그 후** 나쓰메 소세키 · 윤상인 옮김
88 **오만과 편견** 오스틴 · 윤지관, 전승희 옮김 미국대학위원회 선정 SAT 추천도서
89·90 **부활** 톨스토이 · 연진희 옮김 논술 및 수능에 출제된 책(1998~2005)
91 **방드르디, 태평양의 끝** 투르니에 · 김화영 옮김
92 **미겔 스트리트** 나이폴 · 이상옥 옮김 노벨 문학상 수상 작가
93 **페드로 파라모** 룰포 · 정창 옮김
94 **차라투스트라는 이렇게 말했다** 니체 · 장희창 옮김 국립중앙도서관 선정 청소년 권장도서
95·96 **적과 흑** 스탕달 · 이동렬 옮김 국립중앙도서관 선정 청소년 권장도서
97·98 **콜레라 시대의 사랑** 마르케스 · 송병선 옮김 노벨 문학상 수상 작가 | BBC 선정 꼭 읽어야 할 책
99 **맥베스** 셰익스피어 · 최종철 옮김 서울대 권장도서 100선 | 미국대학위원회 선정 SAT 추천도서
100 **춘향전** 작자 미상 · 송성욱 풀어 옮김 서울대 권장도서 100선
101 **페르디두르케** 곰브로비치 · 윤진 옮김
102 **포르노그라피아** 곰브로비치 · 임미경 옮김
103 **인간 실격** 다자이 오사무 · 김춘미 옮김
104 **네루다의 우편배달부** 스카르메타 · 우석균 옮김

105·106 **이탈리아 기행** 괴테·박찬기 외 옮김
107 **나무 위의 남작** 칼비노·이현경 옮김
108 **달콤 쌉싸름한 초콜릿** 에스키벨·권미선 옮김
109·110 **제인 에어** C. 브론테·유종호 옮김 BBC 선정 꼭 읽어야 할 책
111 **크눌프** 헤세·이노은 옮김 노벨 문학상 수상 작가
112 **시계태엽 오렌지** 버지스·박시영 옮김 《타임》 선정 현대 100대 영문소설 | 《뉴스위크》 선정 100대 명저
113·114 **파리의 노트르담** 위고·정기수 옮김 미국대학위원회 선정 SAT 추천도서
115 **새로운 인생** 단테·박우수 옮김
116·117 **로드 짐** 콘래드·이상옥 옮김 《뉴스위크》 선정 100대 명저
118 **폭풍의 언덕** E. 브론테·김종길 옮김 미국대학위원회 선정 SAT 추천도서
119 **텔크테에서의 만남** 그라스·안삼환 옮김 노벨 문학상 수상 작가
120 **검찰관** 고골·조주관 옮김
121 **안개** 우나무노·조민현 옮김
122 **나사의 회전** 제임스·최경도 옮김 미국대학위원회 선정 SAT 추천도서
123 **피츠제럴드 단편선 1** 피츠제럴드·김욱동 옮김
124 **목화밭의 고독 속에서** 콜테스·임수현 옮김
125 **돼지꿈** 황석영
126 **라셀라스** 존슨·이인규 옮김
127 **리어 왕** 셰익스피어·최종철 옮김 서울대 권장도서 100선 | 《뉴스위크》 선정 100대 명저
128·129 **쿠오 바디스** 시엔키에비츠·최성은 옮김 노벨 문학상 수상 작가
130 **자기만의 방·3기니** 울프·이미애 옮김
131 **시르트의 바닷가** 그라크·송진석 옮김
132 **이성과 감성** 오스틴·윤지관 옮김
133 **바덴바덴에서의 여름** 치프킨·이장욱 옮김
134 **새로운 인생** 파묵·이난아 옮김 노벨 문학상 수상 작가
135·136 **무지개** 로렌스·김정매 옮김
137 **인생의 베일** 서머싯 몸·황소연 옮김
138 **보이지 않는 도시들** 칼비노·이현경 옮김
139·140·141 **연초 도매상** 바스·이운경 옮김 《타임》 선정 현대 100대 영문소설
142·143 **플로스 강의 물방앗간** 엘리엇·한애경, 이봉지 옮김 미국대학위원회 선정 SAT 추천도서
144 **연인** 뒤라스·김인환 옮김
145·146 **이름 없는 주드** 하디·정종화 옮김
147 **제49호 품목의 경매** 핀천·김성곤 옮김 《타임》 선정 현대 100대 영문소설
148 **성역** 포크너·이진준 옮김 노벨 문학상 수상 작가 | 퓰리처상 수상 작가
149 **무진기행** 김승옥
150·151·152 **신곡(지옥편·연옥편·천국편)** 단테·박상진 옮김 《뉴스위크》 선정 100대 명저
153 **구덩이** 플라토노프·정보라 옮김
154·155·156 **카라마조프가의 형제들** 도스토옙스키·김연경 옮김
157 **지상의 양식** 지드·김화영 옮김 노벨 문학상 수상 작가
158 **밤의 군대들** 메일러·권택영 옮김 퓰리처상 수상 작가
159 **주홍 글자** 호손·김욱동 옮김 서울대 권장도서 100선 | 미국대학위원회 선정 SAT 추천도서
160 **깊은 강** 엔도 슈사쿠·유숙자 옮김
161 **욕망이라는 이름의 전차** 윌리엄스·김소임 옮김
162 **마사 퀘스트** 레싱·나영균 옮김 노벨 문학상 수상 작가
163·164 **운명의 딸** 아옌데·권미선 옮김

165 **모렐의 발명** 비오이 카사레스·송병선 옮김
166 **삼국유사** 일연·김원중 옮김 서울대 권장도서 100선
167 **풀잎은 노래한다** 레싱·이태동 옮김 노벨 문학상 수상 작가
168 **파리의 우울** 보들레르·윤영애 옮김
169 **포스트맨은 벨을 두 번 울린다** 케인·이만식 옮김
170 **썩은 잎** 마르케스·송병선 옮김 노벨 문학상 수상 작가
171 **모든 것이 산산이 부서지다** 아체베·조규형 옮김 《타임》 선정 현대 100대 영문소설
172 **한여름 밤의 꿈** 셰익스피어·최종철 옮김 미국대학위원회 선정 SAT 추천도서
173 **로미오와 줄리엣** 셰익스피어·최종철 옮김 미국대학위원회 선정 SAT 추천도서
174·175 **분노의 포도** 스타인벡·김승욱 옮김 노벨 문학상 수상 작가 | 《타임》 선정 현대 100대 영문소설
176·177 **괴테와의 대화** 에커만·장희창 옮김
178 **그물을 헤치고** 머독·유종호 옮김 《타임》 선정 현대 100대 영문소설
179 **브람스를 좋아하세요...** 사강·김남주 옮김
180 **카타리나 블룸의 잃어버린 명예** 하인리히 뵐·김연수 옮김 노벨 문학상 수상 작가
181·182 **에덴의 동쪽** 스타인벡·정회성 옮김 노벨 문학상 수상 작가
183 **순수의 시대** 워튼·송은주 옮김 《뉴스위크》 선정 100대 명저 | 퓰리처상 수상작
184 **도둑 일기** 주네·박형섭 옮김
185 **나자** 브르통·오생근 옮김
186·187 **캐치-22** 헬러·안정효 옮김 《타임》 선정 현대 100대 영문소설
188 **숄로호프 단편선** 숄로호프·이항재 옮김 노벨 문학상 수상 작가
189 **말** 사르트르·정명환 옮김
190·191 **보이지 않는 인간** 엘리슨·조영환 옮김 《타임》 선정 현대 100대 영문소설
192 **왑샷 가문 연대기** 치버·김승욱 옮김 퓰리처상 수상 작가
193 **왑샷 가문 몰락기** 치버·김승욱 옮김 퓰리처상 수상 작가
194 **필립과 다른 사람들** 노터봄·지명숙 옮김
195·196 **하드리아누스 황제의 회상록** 유르스나르·곽광수 옮김
197·198 **소피의 선택** 스타이런·한정아 옮김 퓰리처상 수상 작가
199 **피츠제럴드 단편선 2** 피츠제럴드·한은경 옮김
200 **홍길동전** 허균·김탁환 옮김
201 **요술 부지깽이** 쿠버·양윤희 옮김
202 **북호텔** 다비·원윤수 옮김
203 **톰 소여의 모험** 트웨인·김욱동 옮김
204 **금오신화** 김시습·이지하 옮김
205·206 **테스** 하디·정종화 옮김 미국대학위원회 선정 SAT 추천도서 | BBC 선정 꼭 읽어야 할 책
207 **브루스터플레이스의 여자들** 네일러·이소영 옮김
208 **더 이상 평안은 없다** 아체베·이소영 옮김
209 **그레인지 코플랜드의 세 번째 인생** 워커·김시현 옮김 퓰리처상 수상 작가
210 **어느 시골 신부의 일기** 베르나노스·정영란 옮김
211 **타라스 불바** 고골·조주관 옮김
212·213 **위대한 유산** 디킨스·이인규 옮김 서울대 권장도서 100선 | BBC 선정 꼭 읽어야 할 책
214 **면도날** 서머싯 몸·안진환 옮김
215·216 **성채** 크로닌·이은정 옮김
217 **오이디푸스 왕** 소포클레스·강대진 옮김 서울대 권장도서 100선
218 **세일즈맨의 죽음** 밀러·강유나 옮김
219·220·221 **안나 카레니나** 톨스토이·연진희 옮김 서울대 권장도서 100선

222 오스카 와일드 작품선 와일드 · 정영목 옮김
223 벨아미 모파상 · 송덕호 옮김
224 파스쿠알 두아르테 가족 호세 셀라 · 정동섭 옮김 노벨 문학상 수상 작가
225 시칠리아에서의 대화 비토리니 · 김운찬 옮김
226·227 길 위에서 케루악 · 이만식 옮김 《타임》 선정 현대 100대 영문소설 | 《뉴스위크》 선정 100대 명저
228 우리 시대의 영웅 레르몬토프 · 오정미 옮김
229 아우라 푸엔테스 · 송상기 옮김
230 클링조어의 마지막 여름 헤세 · 황승환 옮김 노벨 문학상 수상 작가
231 리스본의 겨울 무뇨스 몰리나 · 나송주 옮김
232 뻐꾸기 둥지 위로 날아간 새 키지 · 정회성 옮김 《타임》 선정 현대 100대 영문소설
233 페널티킥 앞에 선 골키퍼의 불안 한트케 · 윤용호 옮김 노벨 문학상 수상 작가
234 참을 수 없는 존재의 가벼움 쿤데라 · 이재룡 옮김
235·236 바다여, 바다여 머독 · 최옥영 옮김
237 한 줌의 먼지 에벌린 워 · 안진환 옮김 《타임》 선정 현대 100대 영문소설
238 뜨거운 양철 지붕 위의 고양이 · 유리 동물원 윌리엄스 · 김소임 옮김 퓰리처상 수상작
239 지하로부터의 수기 도스토옙스키 · 김연경 옮김
240 키메라 바스 · 이운경 옮김
241 반쪼가리 자작 칼비노 · 이현경 옮김
242 벌집 호세 셀라 · 남진희 옮김 노벨 문학상 수상 작가
243 불멸 쿤데라 · 김병욱 옮김
244·245 파우스트 박사 토마스 만 · 임홍배, 박병덕 옮김 노벨 문학상 수상 작가
246 사랑할 때와 죽을 때 레마르크 · 장희창 옮김
247 누가 버지니아 울프를 두려워하랴? 올비 · 강유나 옮김
248 인형의 집 입센 · 안미란 옮김
249 위폐범들 지드 · 원윤수 옮김 노벨 문학상 수상 작가
250 무정 이광수 · 정영훈 책임 편집 서울대 권장도서 100선
251·252 의지와 운명 푸엔테스 · 김현철 옮김
253 폭력적인 삶 파솔리니 · 이승수 옮김
254 거장과 마르가리타 불가코프 · 정보라 옮김
255·256 경이로운 도시 멘도사 · 김현철 옮김
257 야콥을 둘러싼 추측들 욘존 · 손대영 옮김
258 왕자와 거지 트웨인 · 김욱동 옮김
259 존재하지 않는 기사 칼비노 · 이현경 옮김
260·261 눈먼 암살자 애트우드 · 차은정 옮김 《타임》 선정 현대 100대 영문소설
262 베니스의 상인 셰익스피어 · 최종철 옮김
263 말리나 바흐만 · 남정애 옮김
264 사볼타 사건의 진실 멘도사 · 권미선 옮김
265 뒤렌마트 희곡선 뒤렌마트 · 김혜숙 옮김
266 이방인 카뮈 · 김화영 옮김 노벨 문학상 수상 작가 | 미국대학위원회 선정 SAT 추천도서
267 페스트 카뮈 · 김화영 옮김 노벨 문학상 수상 작가 | 국립중앙도서관 선정 청소년 권장도서
268 검은 튤립 뒤마 · 송진석 옮김
269·270 베를린 알렉산더 광장 되블린 · 김재혁 옮김
271 하얀 성 파묵 · 이난아 옮김 노벨 문학상 수상 작가
272 푸슈킨 선집 푸슈킨 · 최선 옮김
273·274 유리알 유희 헤세 · 이영임 옮김 노벨 문학상 수상 작가

275 픽션들 보르헤스·송병선 옮김 서울대 권장도서 100선
276 신의 화살 아체베·이소영 옮김
277 빌헬름 텔·간계와 사랑 실러·홍성광 옮김
278 노인과 바다 헤밍웨이·김욱동 옮김 노벨 문학상 수상 작가 | 퓰리처상 수상작
279 무기여 잘 있어라 헤밍웨이·김욱동 옮김 미국대학위원회 선정 SAT 추천도서
280 태양은 다시 떠오른다 헤밍웨이·김욱동 옮김 《타임》 선정 현대 100대 영문 소설
281 알레프 보르헤스·송병선 옮김
282 일곱 박공의 집 호손·정소영 옮김
283 에마 오스틴·윤지관, 김영희 옮김
284·285 죄와 벌 도스토옙스키·김연경 옮김 미국대학위원회 선정 SAT 추천도서
286 시련 밀러·최영 옮김
287 모두가 나의 아들 밀러·최영 옮김
288·289 누구를 위하여 종은 울리나 헤밍웨이·김욱동 옮김 노벨 문학상 수상 작가
290 구르브 연락 없다 멘도사·정창 옮김
291·292·293 데카메론 보카치오·박상진 옮김
294 나누어진 하늘 볼프·전영애 옮김
295·296 제브데트 씨와 아들들 파묵·이난아 옮김 노벨 문학상 수상 작가
297·298 여인의 초상 제임스·최경도 옮김 미국대학위원회 선정 SAT 추천도서
299 압살롬, 압살롬! 포크너·이태동 옮김 노벨 문학상 수상 작가
300 이상 소설 전집 이상·권영민 책임 편집
301·302·303·304·305 레 미제라블 위고·정기수 옮김
306 관객모독 한트케·윤용호 옮김 노벨 문학상 수상 작가
307 더블린 사람들 조이스·이종일 옮김
308 에드거 앨런 포 단편선 앨런 포·전승희 옮김 미국대학위원회 선정 SAT 추천도서
309 보이체크·당통의 죽음 뷔히너·홍성광 옮김
310 노르웨이의 숲 무라카미 하루키·양억관 옮김
311 운명론자 자크와 그의 주인 디드로·김희영 옮김
312·313 헤밍웨이 단편선 헤밍웨이·김욱동 옮김 노벨 문학상 수상 작가
314 피라미드 골딩·안지현 옮김 노벨 문학상 수상 작가
315 닫힌 방·악마와 선한 신 사르트르·지영래 옮김
316 등대로 울프·이미애 옮김 《타임》 선정 현대 100대 영문소설 | 《뉴스위크》 선정 100대 명저
317·318 한국 희곡선 송영 외·양승국 엮음
319 여자의 일생 모파상·이동렬 옮김
320 의식 노터봄·김영중 옮김
321 육체의 악마 라디게·원윤수 옮김
322·323 감정 교육 플로베르·지영화 옮김
324 불타는 평원 룰포·정창 옮김
325 위대한 몬느 알랭푸르니에·박영근 옮김
326 라쇼몬 아쿠타가와 류노스케·서은혜 옮김
327 반바지 당나귀 보스코·정영란 옮김
328 정복자들 말로·최윤주 옮김
329·330 우리 동네 아이들 마흐푸즈·배혜경 옮김 노벨 문학상 수상 작가
331·332 개선문 레마르크·장희창 옮김
333 사바나의 개미 언덕 아체베·이소영 옮김
334 게걸음으로 그라스·장희창 옮김 노벨 문학상 수상 작가

335 **코스모스** 곰브로비치 · 최성은 옮김
336 **좁은 문 · 전원교향곡 · 배덕자** 지드 · 동성식 옮김 노벨 문학상 수상 작가
337·338 **암 병동** 솔제니친 · 이영의 옮김 노벨 문학상 수상 작가
339 **피의 꽃잎들** 응구기 와 시옹오 · 왕은철 옮김
340 **운명** 케르테스 · 유진일 옮김 노벨 문학상 수상 작가
341·342 **벌거벗은 자와 죽은 자** 메일러 · 이운경 옮김 퓰리처상 수상 작가
343 **시지프 신화** 카뮈 · 김화영 옮김 노벨 문학상 수상 작가
344 **뇌우** 차오위 · 오수경 옮김
345 **모옌 중단편선** 모옌 · 심규호, 유소영 옮김 노벨 문학상 수상 작가
346 **일야서** 한사오궁 · 심규호, 유소영 옮김
347 **상속자들** 골딩 · 안지현 옮김 노벨 문학상 수상 작가
348 **설득** 오스틴 · 전승희 옮김
349 **히로시마 내 사랑** 뒤라스 · 방미경 옮김
350 **오 헨리 단편선** 오 헨리 · 김희용 옮김
351·352 **올리버 트위스트** 디킨스 · 이인규 옮김
353·354·355·356 **전쟁과 평화** 톨스토이 · 연진희 옮김
357 **다시 찾은 브라이즈헤드** 에벌린 워 · 백지민 옮김
358 **아무도 대령에게 편지하지 않다** 마르케스 · 송병선 옮김
359 **사양** 다자이 오사무 · 유숙자 옮김
360 **좌절** 케르테스 · 한경민 옮김 노벨 문학상 수상 작가
361·362 **닥터 지바고** 파스테르나크 · 김연경 옮김 노벨 문학상 수상 작가
363 **노생거 사원** 오스틴 · 윤지관 옮김
364 **개구리** 모옌 · 심규호, 유소영 옮김 노벨 문학상 수상 작가
365 **마왕** 투르니에 · 이원복 옮김 공쿠르상 수상 작가
366 **맨스필드 파크** 오스틴 · 김영희 옮김
367 **이선 프롬** 이디스 워튼 · 김욱동 옮김 퓰리처상 수상 작가
368 **여름** 이디스 워튼 · 김욱동 옮김 퓰리처상 수상 작가
369·370·371 **나는 고백한다** 자우메 카브레 · 권가람 옮김
372·373·374 **태엽 감는 새 연대기** 무라카미 하루키 · 김난주 옮김
375·376 **대사들** 제임스 · 정소영 옮김
377 **족장의 가을** 마르케스 · 송병선 옮김 노벨 문학상 수상 작가
378 **핏빛 자오선** 매카시 · 김시현 옮김
379 **모두 다 예쁜 말들** 매카시 · 김시현 옮김
380 **국경을 넘어** 매카시 · 김시현 옮김
381 **평원의 도시들** 매카시 · 김시현 옮김
382 **만년** 다자이 오사무 · 유숙자 옮김
383 **반항하는 인간** 카뮈 · 김화영 옮김 노벨 문학상 수상 작가
384·385·386 **악령** 도스토옙스키 · 김연경 옮김
387 **태평양을 막는 제방** 뒤라스 · 윤진 옮김
388 **남아 있는 나날** 가즈오 이시구로 · 송은경 옮김
389 **앙리 브륄라르의 생애** 스탕달 · 원윤수 옮김
390 **찻집** 라오서 · 오수경 옮김
391 **태어나지 않은 아이를 위한 기도** 케르테스 · 이상동 옮김 노벨 문학상 수상 작가
392·393 **서머싯 몸 단편선** 서머싯 몸 · 황소연 옮김
394 **케이크와 맥주** 서머싯 몸 · 황소연 옮김

395 **월든** 소로 · 정회성 옮김

396 **모래 사나이** E. T. A. 호프만 · 신동화 옮김

397·398 **검은 책** 오르한 파묵 · 이난아 옮김 노벨 문학상 수상 작가

399 **방랑자들** 올가 토카르추크 · 최성은 옮김 노벨 문학상 수상 작가

400 **시여, 침을 뱉어라** 김수영 · 이영준 엮음

401·402 **환락의 집** 이디스 워튼 · 전승희 옮김

403 **달려라 메로스** 다자이 오사무 · 유숙자 옮김

404 **아버지와 자식** 투르게네프 · 연진희 옮김

405 **청부 살인자의 성모** 바예호 · 송병선 옮김

406 **세피아빛 초상** 아옌데 · 조영실 옮김

407·408·409·410 **사기 열전** 사마천 · 김원중 옮김 서울대 권장도서 100선

411 **이상 시 전집** 이상 · 권영민 책임 편집

412 **어둠 속의 사건** 발자크 · 이동렬 옮김

413 **태평천하** 채만식 · 권영민 책임 편집

414·415 **노스트로모** 콘래드 · 이미애 옮김

416·417 **제르미날** 졸라 · 강충권 옮김

418 **명인** 가와바타 야스나리 · 유숙자 옮김 노벨 문학상 수상 작가

419 **핀처 마틴** 골딩 · 백지민 옮김 노벨 문학상 수상 작가

420 **사라진 · 샤베르 대령** 발자크 · 선영아 옮김

421 **빅 서** 케루악 · 김재성 옮김

422 **코뿔소** 이오네스코 · 박형섭 옮김

423 **블랙박스** 오즈 · 윤성덕, 김영화 옮김

424·425 **고양이 눈** 애트우드 · 차은정 옮김

426·427 **도둑 신부** 애트우드 · 이은선 옮김

428 **슈니츨러 작품선** 슈니츨러 · 신동화 옮김

429·430 **세계의 끝과 하드보일드 원더랜드** 무라카미 하루키 · 김난주 옮김

431 **멜랑콜리아 I–II** 욘 포세 · 손화수 옮김 노벨 문학상 수상 작가

432 **도적들** 실러 · 홍성광 옮김

433 **예브게니 오네긴 · 대위의 딸** 푸시킨 · 최선 옮김

434·435 **초대받은 여자** 보부아르 · 강초롱 옮김

436·437 **미들마치** 엘리엇 · 이미애 옮김

438 **이반 일리치의 죽음** 톨스토이 · 김연경 옮김

439·440 **캔터베리 이야기** 초서 · 이동일, 이동춘 옮김

441·442 **아소무아르** 졸라 · 윤진 옮김

443 **가난한 사람들** 도스토옙스키 · 이항재 옮김

444·445 **마차오 사전** 한사오궁 · 심규호, 유소영 옮김

446 **집으로 날아가다** 랠프 엘리슨 · 왕은철 옮김

447 **집으로부터 멀리** 피터 케리 · 황가한 옮김

448 **바스커빌가의 사냥개** 코넌 도일 · 박산호 옮김

449 **사냥꾼의 수기** 투르게네프 · 연진희 옮김

450 **필경사 바틀비 · 선원 빌리 버드** 멜빌 · 이삼출 옮김

세계문학전집은 계속 간행됩니다.